国家出版基金项目
NATIONAL PUBLICATION FOUNDATION

《三联经典文库》

第二辑

2012 年国家出版基金项目

三联经典文库

110

保卫华北的游击战

刘清扬　陈北鸥　等著

生活·讀書·新知 三联书店

图书在版编目(CIP)数据

保卫华北的游击战 / 刘清扬，陈北鸥等著. -- 北京：生活·读书·新知三联书店，2014.1
（三联经典文库第二辑）
ISBN 978-7-108-04601-7

Ⅰ. ①保… Ⅱ. ①刘… ②陈… Ⅲ. ①抗日战争－游击战争－史料－华北地区 Ⅳ. ①K265.06

中国版本图书馆CIP数据核字(2013)第151389号

110 保卫华北的游击战

责任编辑 卢 莹
封扉设计 蔡立国
责任印制 徐 方
出版发行 生活·讀書·新知 三联书店
(北京市东城区美术馆东街22号)
邮 编 100010
经 销 新华书店
印 刷 北京市松源印刷有限公司
版 次 2014年1月北京第1版 2014年1月北京第1次印刷
开 本 787毫米×1092毫米 1/32 印张 4.5
字 数 59千字
定 价 17.00元

《三联经典文库》出版缘起

适逢生活·读书·新知三联书店八十华诞，为弘扬传统，接续文脉，回报读者，服务社会，我们决定策划出版《三联经典文库》。

1932年7月，生活书店在上海创办，此后，读书出版社和新知书店相继成立。本文库第一辑、第二辑所选图书，来自于这三家出版单位及其分支机构，以及1948年生活·读书·新知三联书店成立后的出版物，始于1932年，截至1951年，两辑各一百种。此为第二辑，涉及政治、经济、社会、军事、思想文化诸领域，涵盖专著、文集、散文、小说、诗歌、传记、报道等体裁，既有直面现实、追求真理、讴歌真善美、抨击假恶丑的原创作品，又有引介世界各国先进文化、传播新知、开启民智的迻译之作，真实记录了那一代知识分子的思考与探索、理想与愿景和对中华民族文化传承与创新所做出的努力与贡献。

本文库所辑入各书，多为名家名作，在版本方面，以初版一印本或经著译编者审定、修订、增订过的版本为首选，因此本文库又具有较为珍贵的版本价值和收藏价值。

本文库还将编选续辑，使之成为恢弘文化工程。诚挚希望读者给予批评和指正，帮助我们完善编选工作，再现三联经典作品之风采。殊为遗憾的是，由于年代久远，一些原著译编者及其后人未能取得联系并奉付稿酬，诚盼版权所有者与我们联系。祈愿三联前辈所创造的精神财富能薪火相传，为中华文化的伟大复兴增光添彩。

《三联经典文库》编辑委员会

2013 年 8 月

凡　例

一、本文库为重排本，由繁体字竖排版改为简体字横排版。

一、以忠实于原作、整旧如旧为编辑原则，对当时使用的专有名词、外文译名，以及民国时期的语言和特色予以保留。

一、原书注释如旧，编者所出的注释，均以“编者注”标明，以示与原书注释的区别。

一、对原书残缺或字迹漫漶之处，以□示代。

一、对繁简文本转换时的“如右”、“见左”一类，对应改为“如上（前）”、“见下（后）”。

一、对原书中各种错讹脱衍之处，直接订正，不再以其他符号标示。

一、对数字、标点符号的用法，在不损害原文语义的情况下，做必要的规范。

一、本文库各书均前插原书书影、原书版权页和文库版“本书出版说明”。

一、本书出版说明的撰写，以客观中立为原则，扼要介绍本书的内容、版本流转、著译编者的情况。

本书出版说明

“卢沟桥事变”后，敌人占据平津，意图全面吞并华北，因此华北救亡工作全面转向军事方面，各地都开始组织、训练、武装民众，展开了保卫华北的游击战。本书介绍了平津、山东、河北、河南、晋察冀边区、陕甘宁边区等地游击队的产生和成立、组织和编制、民众与游击队的关系、游击战的成绩、战斗的经验和教训等，希望能让全国同胞吸取教训，增加经验，争取抗战胜利的早日到来。

本书由生活书店于1938年7月初版，后在香港重印，但重印具体年份不详，大概在1970年代。本次出版即以初版为底本。

刘清扬（1894-1977），回族，天津市人。早年参加过同盟会系统的革命活动。1919年在天津参加了“五四”

运动。1921年加入中国共产党。1923年与邓颖超创办《妇女日报》。1944年在重庆加入中国民主同盟。1949年后，历任政务院文化教育委员会委员、全国政协常委、河北省政协副主席、全国妇联副主席、中国红十字会副会长等职。1961年重新加入中国共产党。"文革"中遭受迫害，1977年含冤去世。1979年得到平反昭雪。

陈北鸥 (1911-1983)，笔名北鸥。福建闽侯人。1931年任北京"左联"执委，后曾任"左联"机关杂志《文学月报》和"文联"机关杂志《文化新闻》主编，北京东北大学教授，重庆《通讯旬刊》主编，《救国导报》、《救亡日报》、《大公报》总编辑等职。1932年开始发表作品。1956年加入中国作家协会。著有长篇小说《前线恋》，专著《新文学概论》，诗集《心曲》，剧本《万年青》、《红楼梦》、《保卫工厂》，电影文学剧本《苏凤记》，译著《作家论》等。

生活·读书·新知三联书店

2013年8月

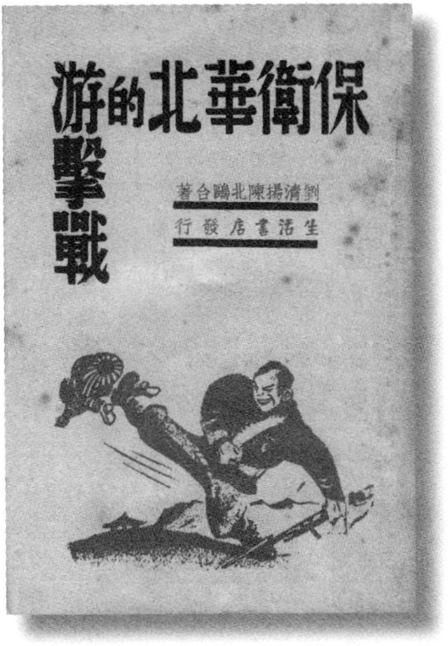

生活书店 1938 年 7 月初版书影

保衛華北的游擊戰

每冊實價國幣叁角
外埠酌加寄費

著者 劉清揚 陳北鷗

發行者 生活書店
漢口：交通路六十三號
廣州：漢民北路五十號
重慶：武庫街二十一號
上海：福州路三八四號
西安 長沙 成都 梧州
桂林 貴陽 昆明 蘭州
宜昌 萬縣 衡陽 六安
香港 南昌 南鄭 天水

印刷者 生活印刷所

中華民國二十七年七月初版(漢)

原书版权页

目 次

序　言

从“芦沟桥事变”后，敌人占据了平津，盘据了华北的大城市，华北救亡工作已全面地转向军事方面了。组织民众，训练民众，武装民众以开展保卫华北的游击战争，在抗战九月的过程已经有了惊人的成果了。华北各地游击战迅速广大地开展，足以证实游击战争在尽着保卫华北的重任。广大的华北原野到处竖立着青天白日满地红的旗帜，除了极少数无耻汉奸之外，人民都在支持游击队开展游击战，华北绝不会沦陷在敌人手中的。

我们在“芦沟桥事变”前，曾多年地从事于华北救亡工作，“七七事变”后也曾在华北实际地从事于组织民众、训练民众、发展游击战争的工作，许许多多朋友们也都在参加着这艰苦的斗争。目前把保卫华北的游击战报告给全国同胞，以学习更多的经验，收到更多的教训，当是极迫切极必要的事。

早已允诺书店整理出这本小册子来，我们曾想到仅就一二人所经历的，所知道的，自然不能详细地切实地写出全部的保卫华北的游击战，在两月以前就曾约了些参加着华北游击战争的朋友们共同完成这全国急切需要知道的报导。现在各地朋友们的材料直接间接地集合到一起了。我们所整理出的材料包括：平津、山东、河北、山西、陕西、甘肃、宁夏、察哈尔、河南等地的游击队的产生和成立，组织和编制；民众和游击队的关系；游击战的伟大战绩，战斗的经验和教训。

在工作匆忙中所整理出的材料，是不能使我们满意的，这也许只是在华北游击战中的十分之一二的叙述和记录；不过这十分之一二的材料并不是不值得宝贵的，这是多少血，多少骨肉，多少数不尽的爱国心所集成的史篇。华北的游击战争在迅速地顺利地开展着，我们自然不会离开我们的岗位的，在最近的将来我们希望能整理出民族革命战争中更伟大的灿烂于世界的光辉的史篇。

廿七年五月十二日

活跃的华北游击队

从“七七”战祸爆发后，平津冀察相继失陷，跟着京沪青济也沦于敌手，成千成万的同胞流离失所，无可数计的壮丁惨遭屠杀，妇女同胞之受侮辱受奸污，甚至奸淫后处死的，尤触目皆是。凡倭寇所到的地方，闹市变成荒丘，天堂变成地狱，极尽人间的惨状，造成亘古未有的浩劫。其凶残毒恶的行为，在失地内是如此，在战区内亦是如此，而在后方非战争区域及未设防的城镇更免不了常遭寇机残酷的轰炸，我四万万五千万同胞的生命财产无时无刻不在倭寇的荼毒之中，威胁之中。可是在这极端的压迫下所掀起来的反抗情绪，所激发出来的民族意识，却同火一样的蓬勃，同春花一样的怒放。由于游击队不可遏止的发展，由于人民普遍的觉悟，同时复由于游击队与正规军有了适当的配合，所以，现在在津浦、在平汉、在晋西南，到处予敌以重创，予敌以打击，而伟大的津浦线大歼灭战，尤澎湃汹涌的震撼了全国全世界人士烦闷的心灵。

倭寇的兽行，已成为全世界公开的事实，兹再略举数例：

当清丰失陷时，寇兵二百余人，搜去我五十多个妇女同胞，当街轮奸，民众们在这种兽行之强烈的刺激下，“怒从心上起，恶向胆边生”，哗然大忿，男女老幼，群起与暴敌扑，或攘臂前驱，或持刀枪棍棒之类的原始武器，结果杀死寇兵数百，旋寇兵啸集大队前来报复，有近千的男女同胞遭了倭奴的残杀。

天津附近 × 村于失陷前，居民都已通通逃避，有一年近花甲的老妇，因不愿离开祖宗坟墓，舍不得抛弃自己一点微薄产业，便独自留下，后为寇兵搜出，迫令她修饰打扮，涂上胭脂，着少妇装，然后轮奸以死。

寇兵在大名，到处搜索妇女，搜去妇女五十汽车，运其入兵营。

像这类的故事，多到不可胜计，我们在报纸上也常常见到，这里不过把报上不曾披露过的，简单地报告。

冀北游击队就是在民众的悲痛和愤恨中组织生长并开展起来的。

在这里自然要先从平郊游击队谈起。二十五年冬季，东北游击队首领赵侗，代表东北义军入关请援，以种种原因未克出关，及到逼近“芦沟桥事变”，日寇图攻华北的空气一天紧张一天的时候，知大战已迫于眉睫，即偕数同志密赴太行山北头儿白庙城一带，察看地形，准备着开创抗日的游击区域，并与当地某富绅谈华北危机之紧迫，与开创并发展游击之重要。某富绅在赵侗之诚挚热烈的说词下深为感动，自愿捐助枪弹粮秣。赵君返北平时，又设法购得手枪十余支，在芦变爆发和战未定之际，赵君即在东北救国会的指示与帮助之下，纠合同志十余人，秘密离平赴白庙城与某富绅号召当地农民组织游击队，同时，参加者达二十余人，随即出发说服了驻扎当地的保安队，又得枪二十余支，仅一日夜工夫，人枪发展到了六十余。及至二十九军放弃北平的时候，赵君遂将这六十余人，编成三个小队，到处收集散兵游勇，经过三天的努力，竟由六十余人发展到一百六十余人，旋打开了北平第一监狱，又增加大批生力军和枪弹，这时人枪已达五百多了。不久该队发展到一千余人，常在北平近郊一带，不断地与倭寇斗争，不断地给倭寇以威胁和打击。此外在冀东各县，也有广大的民众武装的组织，时常给敌人以威胁。

其次，是杨秀林教授所领导的游击队。从“九·一八”以后，杨教授便热烈地从事于救亡工作，平津一带的救国团体，多由于杨教授所号召组成。至平津陷落后，他在倭奴严密封锁之下乔装跑到石家庄去，打算在石家庄一带组织民众，武装民众以阻倭奴进一步之南侵，不料刚一到达，石家庄又告失守了。他偕同他底夫人及另外几个战士，径赴太行山一带发动农民，由于杨教授英勇沉毅的领导，与男女战士们之艰苦奋斗的结果，迅速地由三十余人发展到二千余人，为神圣的抗日游击战争奠下了一个极坚强的基础，更随时随地收编散兵游勇和保安队，抢夺寇兵的枪弹粮草，经过不到半年的苦斗历程，除基本游击队的战斗员外，已发展了武装自卫的农民在万人以上了。

再其次，是东北及华北几个不愿做亡国奴的青年学生，他们感到他们底第二故乡——北平——复为暴敌所侵占，偷偷地跑出城外去，抢到二十九军溃退时所抛弃的几支步枪，便在北平近郊进行组织游击队，开展伟大而艰苦的游击战争。先后从寇兵手里不断的夺获许多机关枪、迫击炮、山炮、步枪、子弹及手榴弹之类的武器，不到一月工夫，他们底队伍由十几个人发展到三百余人。队员成分，最多是农民，其次是散兵游勇和保安队，及少数土匪，其领导干部多系青年知识分子和少壮军官。还有一部分是一东北军官在东北失陷时因他的家乡被毁，父母被敌惨杀，早就抱定复仇决心，在此时所以便集合着几个以前同事的军官跳出城外，在冀察边区所发动的游击队，骑步兵有两千余人，这支生力军，已同赵侗的游击队，取得密切的联系。

此外，当“九·一八事变”后，明眼人都已知道华北是处烽火的最前线了，敌人将必以暴力谋取华北，平津各救国团体除公开号呼外，更秘密部署，以为一旦有事时之用。天津某救国团体与天津妇女救国会中肯切实努力工作的几个同志时常到附近村庄里去努力农村教育，推进抗敌救亡工作。由于这几个同志的耐苦耐劳的精神，和诚挚忠实的态度，取得了农民的广大信仰和拥护，当日寇迫近津郊时，他们便进一步地从事武装民众进行游击战争的工作。他们开始从寇兵手里夺取了三支步枪，这三支枪竟做了津郊游击队日后抗争伟业的根基，现在他们已发展到一千多人了，且和上述几大部分取得密切的联络。在他们英勇奋斗中有两件极饶兴味的史实，颇值一述。

有一天从天津开出一辆运输汽车，向津南 × 村行驶着，到达该村时，正是午后一时光景，押车的三个寇兵，便命车夫停车觅食。当地勇敢的农民见有机可乘，便集合三五人一面携带酒食去慰劳倭兵，其余几个精明壮丁潜伏近旁待机进袭，等待那三个兽军吃喝得兴高采烈无复顾忌的时候，扮着慰劳兽军的假“顺民”，乘其不备，呼哨一声，一拥上前，马上便将倚在兽军身边的枪支夺取在手，潜伏待机的人们亦闻声而起，把三个兽军全行枪毙，车夫受惊远扬。车上满载着的面粉，都散发给农民，因此便自动的集合很多人，组织起来，成为有力的游击队了。

津浦路因遭游击队破坏不能通车，运河便成了交通要道，倭寇把旧式帆船加以改造，配置机器，变作新式运输工具。一天有两只这样改造了的汽船，满载军火和粮食由天津向南行驶，游击队得报，即派遣两小队（约四十多人，一半徒手）潜伏两岸。等到黄昏时候，等着了，而且还那么凑巧的那两只船先后在拐弯处搁了浅，押船的十余寇兵纷纷下水去推，推得汗流浃背，也不能推动，后来有两个寇兵便登陆来拉夫，这二十多个徒手的游击队员，遂应拉前往，乘其不备的时候跳上船去把持枪的寇兵打倒，夺去枪械，回头把在水里监督推船的几个寇兵也全数击杀，他们把这两船粮食和军火便很迅速运走了。

基于上述，我们可以概要的了解平津近郊及冀北一带的游击队是在如何艰苦的过程中迅速生长和发展起来的。他们近来在平津近郊、冀东冀北各县和太行山一带更形活跃了。平津虽然失陷，少数交通据点虽然被占领，然而不少的县政和广大地区仍然在我武装民众掌握中。如河北傀儡政府所委的汉奸县长前往献县及任邱上任时，伪县长及其随从，均分别为民众砍头枪毙，并传首四城。真的，杀一可以儆百，自献县、任邱的汉奸县长被民众正法后，其他已委就的各县汉奸县长，虽在倭寇宪兵保护之下，亦不敢轻易走马上任，这些县城上至今仍飘扬着青天白日旗帜，而这些县份内之抗日政权亦于以普遍建立。

在这些广大地区内的游击队，与民众的关系非常亲密，去秋水灾奇重，民众生活虽陷入万分困窘之中，但还省衣节食，来维持游击队“穿不暖，吃难饱”的给养，像这般艰苦奋斗的精神，蓬蓬勃勃的热情，只有在争取民族生存的神圣抗战中，才能产生与寻求。

刘清扬

山东展开的游击战

一　只有抗战才有活路

山东人民本是魁伟雄壮的。山东民间保有的枪支，在全国当是首屈一指。驻在山东的军队一步步地撤退了之后，留在后面的只有老百姓。老百姓是不退不逃的，他们离开了家乡，离开了土地便没法生活，他们唯一的活路只有抵抗敌人，保卫自己的家乡。

在山东的乡村里，已经再不需要宣传员去宣传敌人的暴行了。他们亲眼所看到的，比一百个宣传队宣传一千遍的内容，还具体切实的多。

当敌人最初到一个村庄的时候，开始是先把乡村的肥牛倒挂在树上，下面用柴火烧烤，柴火烧着这牛，牛不停的哀号起来，声音的凄惨可以听到几里以外，老百姓不但丢掉他们最宝贵的牛，并且看着敌人这种残暴行为自然是极度愤恨。每次烧牛起码用一小时以上，牛被烧熟之后，敌兵于是一刀刀地割着大嚼起来。这种吃法就是在日本我们也不曾听到，不过这种残暴的行为在山东各乡村里却是常见到的。

敌兵饱餐之后，跟着就是各家各户地搜寻女人，从十岁以上的女人，没有不被奸淫的。封建意识最浓厚的农民可以看着自己的粮食被敌人拿去，可以看着敌人把自己的牛牵去；可是他们决不能看着自己的母亲，妻子，女儿，被敌人奸淫着，老百姓每个人都感到非同敌人拼个死活不可，老百姓在要求着战争，他们确切地理解：只有抗战才有活路。

二　敌人是不可怕的

敌人占据了任何村庄之后，必定是在路口上布满了机关枪，跟着就是把墙挖许多小洞，同时必定使民房都打通，而便于逃走。当敌人被袭击的时候，敌人总是紧密地放起机关枪。敌人并不管袭击的人有多少，总要先放半小时以上的机关枪。民众的游击队常常只有七八个人袭击敌人占据的村庄，敌人也一样地放半小时以上的机关枪，民众的游击队却是一枪也不虚放地暗伏着。这样消耗了敌人大量的军火，敌人总是囚在村庄做无目的放射而决不敢出村庄反攻的。老百姓都感到日本鬼子战斗的胆量连土匪都不如，所以人们都加倍地要去打鬼子，而没有人觉着敌人是可怕的。

敌人夜间睡眠之前必定要把所有的枪支集合到一起，紧紧的束在一起，必定使枪支的重量到几个人都抬不动才安心地大家狂笑起来，他们唯恐每人身边放着一支枪睡下，枪会被老百姓抢走的。

老百姓在没看到倭寇的时候，总以为日本鬼子是鬼一样的可怕，待看到日本鬼子，知道日本鬼子不过是比中国人更矮小的人，比中国土匪更胆小的人，再没有人觉着日本鬼子可怕了。

三　游击队到处开展着

山东民众武装的队伍已经远超过十万人以上。过去我们在报纸所见到在山东的战报，几乎完全是民众的战斗，民众的游击队曾收复了不少的县城乡镇，在后方敌人受到了极大的威胁，敌人进占了济南、泰安、青岛、兖州、济宁，我们会以为山东的大部已陷落到敌人的手中，其实决不然，由于山东民众英勇的战斗，敌人在山东所占领的区域可以说仅仅是铁路线。山东的游击战对敌人已经起了主要的牵制力量。

山东的游击战区，可以分成六区来述说：

1. 鲁西北区——包括津浦线以西，黄河以北的区域，共有二十三县。在这二十三县里已组成的游击队有四万人，这区域的中心是聊城，而领导作战的是当地的行政专员范筑先先生，这区的游击队有数十架机关枪，有迫击炮，更有三百多人在做着政治工作。同敌人曾做过廿多次激烈战斗，更曾收复了馆陶、恩县、高唐等重要的县城。

2. 鲁北区——包括黄河以北的津浦线东北一带。这区域有十三县，中心县份是惠民、乐陵、阳信、陵县等区域。自然正式部队退到洛口以后，这一带曾发生多次的游击战争，目前已经组织起来的民众武力已有一万左右，枪支约有五千以上，以前曾收复利津、沾化、滨县等县城，现在仍然在同敌人做武装的战斗。

3. 济潍区——包括由济南到潍县一带。这区域以潍县为中心，当地一部分农民在行政专员领导之下，组织有近万人的游击队，在敌人进犯潍县之后，在潍县附近曾同敌人作激烈的战斗。在博山、济州、张店一带更有众多的工人，武装着同敌人英勇地战斗着。

4. 胶东区——包括莱阴、蓬莱、文登、诸城等县。目前有二千多民间武力在同敌人战斗着。沿海一带的渔人抗敌的情绪极高，正在自动地组织着，加以这一带多山，地形极佳，胶东的游击队不久当能迅速地展开。

5. 鲁东南区——包括津浦线以东，诸城博山以南各县。在莱芜，新泰，莱阴已集合有四千多坚决抗战的农民，更有极多的知识分子在做着政治工作。这区域有泰山山脉，地形优良，最适于山地游击战。在这区域里在组织着极健强的游击部队，而将成为山东游击战的长期根据地。

6. 鲁西南区——包括津浦线以西，黄河以南各县。中心县份是东平，汶上等县，武装民众虽只五千人，然而在敌人进犯汶上的时候，曾给以严重打击。

在这六个区域里，民众有的在迅速地组织着，有的在发展着游击队，有的在不时破坏敌人的交通，截获敌人的车辆，军需品，枪杀无数的敌人，更俘获过俘虏。这样使敌人在表面上虽然占领了山东而实际敌人却不曾越过沿铁路的十里以外。

山东的军队虽然撤退了，留下的民众仍然英勇地同敌人在战斗着。山东的一百多县，仍然有大多数的县城在游击队保卫之下，竖立着中国的国旗。山东的游击战斗是值得全国各地民众学习的。

北　鸥

成为抗日根据地的冀察晋边区[1]

一　冀察晋边区的建立及其作用

远在“芦沟桥事变”发生，日本帝国主义开始了大规模进攻，平津冀察处在危急存亡的时候，中共中央就严重的指出：“应立即动员全国的海陆空军实行抗战，在日军四周广泛发动游击战争，以配合主力军作战。”（一九三七年七月二十三日宣言）接着，日寇的血手正在伸入到冀察晋绥内部，太原保定彰德已告失守，整个华北的形势严重到了万分的当儿，中共中央又确定的提出：“首先要坚持华北和东南的持久抗战，发展敌人占领地区的庞大的游击战争，来击破敌人的前进，以便争取时机，加强力量，准备进行决定的战斗。”（一九三七

[1] 本文是根据一九三八年一月十日冀察晋边区代表大会及以前的具体材料写的。

年十二月二十五日宣言）同时，蒋委员长又郑重的昭告国人：“中国持久抗战，其最后胜利之中心，不但不在南京，抑且不在各大都市，而实寄于全国之乡村与广大强固之民心……四千万方里之内，到处皆可造成有形无形之坚强堡垒，以制敌之死命。”（一九三七年十二月十七日“告国民书”）

冀察晋边区四十余县一千多万的党政军民，正是遵照和执行上述的方针，在敌人占领和包围的区域之内，用坚强的团结，英勇的战斗，必胜的信心，来坚持华北游击战争，造成“坚强堡垒”，配合全国持久抗战，为最后战胜日寇，为独立自由幸福的新中国而斗争。

我们知道，当着国军第八路军先头一部，于去年九月中旬始赶到冀晋边区之后，除以主力配合友军大战敌寇板垣师团于平型关，接着又配合忻口娘子关战斗，纵横游击于敌人侧后外，复派出游击杨支队活动于灵邱、广灵、涞源之间，骑兵支队活动于阜平、曲阳、行唐间。这些游击支队以猛攻急袭的行动，分头深入到察哈尔及平汉路两侧。杨支队于九月二十五日开始在灵邱附近与敌作战，击溃敌人两联队，毙敌三百余。十一月十日攻克涞源城。十五日伏击广灵往灵邱道上之敌。十六日收复广灵城。廿三日克灵邱城。二十六日攻占蔚县。十二月二十七日又收复龙华，占领易县。中间战斗十余次，缴获与毙敌甚多，造成以蔚、涞、广、灵四县为中心之抗日根据地。骑兵支队进入河北省后，于九月十九日开始击退敌骑数百于阜平之倒马关，保住了阜平。十月间石家庄失守后，又复深入平汉线敌人后方，大肆袭击。十月十八日占曲阳，击溃进犯曲阳之敌。二十四日占唐县。二十九日占完县。十一月十一日又北进占满城，开创了冀西大块抗日根据地。

这两个游击支队，以积极果敢迅速之活动，配合广大民众，发动民众游击战争。不管当时日寇如何积极的沿主要铁道交通线向冀晋腹地进攻，而他们深入敌后，穿插敌军，经常的直接的单独的袭击敌人，不断的破坏平汉、平绥、同蒲诸铁路，妨害其运输，虏获其辎重，杀伤其人马，消耗其力量，积极的配合忻口娘子关诸战斗，危害敌人，以利正规军作战。同时又竭力团结民众，坚持许多敌人来不及占据的城市于抗日政权的手中，竭力破坏与推翻汉奸政权及其他伪组织，恢复我国政权，维系广大人心。纵然太原失守，国军最大部分退出这个区域，完全处在敌人四面包围之中；但这些游击支队与一部正规军坚决结合民众，以坚固的内部团结，英勇艰苦的战斗，从许多大大小小的胜利中，创造出举国注目的华北主要抗日根据地之一——冀察晋边区。

这个边区拥有冀省西部，晋省东北部，察省西南部——三省毗连的一个广大地区。中心区是在平绥、平汉、同蒲、正太四铁路之间，根据今年一月的材料，包括：蔚县、广灵、浑源、应县、涞源、灵邱、繁峙、五台、代县、惇县、忻县、定襄、阜平、曲阳、唐县、完县、易县、徐水、满城、盂县、寿阳、平定、井陉、平山、行唐、灵寿等二十六县。另外在平汉、津浦铁路、沧石公路之间，还包括有高阳、无极、藁城、深泽、安平、饶阳、安国、博野、麦县、肃宁、河间、任邱、大城、文安、雄县、新镇、安新等十七县，总共约四十余县。半数以上县份的敌人已被肃清，中心区域的十余县是完全连成为一片，如阜平、五台全县已没有一个敌人，有十余县中，只是城内有少数敌人固守，不敢出城，城外均为游击队活动地带。边区的地形很好，它是几千里的太行恒山两山脉相与绵贯的地带，崇山峻岭深沟小路的地方很多，敌人想用大兵与重兵器去进攻它是很不容易。另一方面，边区势力向任何一方伸张，都是迅速的直接的与有力的危害敌人重要作战的后方交通线，而且能够马上发挥效能，影响到敌人前面战场上的作战，并且能分散，吸引敌人很多兵力来一面维护交通，一面实行对边区之攻守与包围。

边区包含一千余万人口，极大部分是汉人，还有回民蒙民喇嘛和尚。民众武装很多，正式的游击队约 ×× 人，人民抗日自卫队，义勇军，少先队等有组织的民众约 ×× 万人，此外还有由北平转到阜平来的国民抗日军赵侗司令所部 ×× 人及平汉路以东的某部，正规军队 ××× 等部，他们协同广大民众武装，负责捍卫这个边区。

边区有相当丰富的物力与资源，煤铁蕴藏很富，铅、云母亦多，食盐粮食也不缺乏，为了供给民生与抗战，民众极努力的耕种、开荒、掘煤、炼铁、造纸，虽在敌人封锁包围之下，而一面自足自给，一面经营对外贸易，以谋抗战经济之发展。

政权形式基本上是按照原有的行政组织，依据边区抗战环境稍有变更，以使更能发挥行政的效能。民主政治高度发扬，不良吏治彻底废除。民众生活，依据抗战环境与合理负担的原则，较之以前有很大的改善，这样更加提高了边区民众抗战热情，引起民众更积极的参加抗战。

一九三八年一月十日，在河北阜平县召集了一个有名的冀察晋边区党军政民临时代表大会。这个大会是为了集中边区抗战力量，统一抗战行动，在民族统一战线的精诚团结的基础上召集的。代表大会的代表共一百四十九人，代表着边区三十九县的县政府，一千余万的民众，代表着拥有一百廿万民众的一百一十四个民众团体，代表着全边区内的正规军与民众武装游击队、自卫军，代表着蒙回藏诸少数民族，代表着国共两党。大会进行了六天，全体代表在抗日高于一切的前提上，一致的、热烈的、坦白的、勇敢的贡献出自己的意见，详细讨论了许多提案和意见之后，决定了统一边区的军事、行政、财政、经济、教育等主要提案，通过了在国民政府蒋委员长阎、程司令官领导下“精诚团结”、“坚持抗战到最后胜利”的宣言和通电，最后，以民主的不记名投票方法，选举了宋劭文（山西省第一区政治主任）、聂荣臻（边区军区司令）、刘奠基（国民党代表）、吕正操（五十三军的团长）、胡仁奎（盂县县长）、李杰庸、孙志远、张苏（蔚县县长）、娄凝先（山西牺盟特派员）九人为委员，成立了名为“冀察晋边区临时行政委员会”的边区政府。这个政府“是中华民国的组成部分”，“是民族统一战线的政权形式”，“是民主的政府”（“大会宣言”）。而且已得一二战区阎、程二司令长官及蒋委员长的批准。

冀察晋边区在今天中国持久抗战的过程中，在谋中华民族解放的历史上，无疑的是有很伟大的意义和作用。它是华北人民抗日的一个重要根据地，是华北以至全国持久抗战的一个“坚强堡垒”。它不仅是发动与领导被占不久的华北人民抗日的中心，而且是影响与呼应沦亡六年了的东北人民抗日的桥梁。它不仅是配合举国军民长期抗战的重要环节，而且是昭示国人如何在敌军后方持久抗战，如何创造抗日根据地的模范榜样。

因此，我们根据两三月前这个边区的材料来研究它的经验教训，在今天说来仍是非常必要的。

二　抗日民族统一战线是冀察晋边区建立的生命线

具有第一等意义的经验教训，就是以国共合作为基础的抗日民族统一战线在边区的具体运用，成为挽救边区巩固与发展边区的生命线。当着八路军先头部队进入冀晋边区的时候，特别是日寇占领太原的时候，边区的生命是十分危急。假令当时不是首先由共产党与国民党的亲密合作，因而使各党派间、各军队间、政府军队与民众间进入团结，则不能挽救当时边区的危急，亦不能开创与发展边区，亦不能召集党政军民的代表大会与成立民族统一战线的边区政府。总之，是不能集中抗日力量，统一抗日行动来战胜日寇。所以代表大会宣言中特别指出："大会充分的表现了各党派各阶层各群众团体各武装部队的精诚团结。……表现了民族统一战线异常坚固。……大会希望边区临时行政委员会，本着大会的精神与既定方针，在蒋委员长阎程司令长官领导下，在各党各派各阶层各民族坚固团结的基础上，百分之百的完成历史所给予它的任务。”由此可见，巩固与扩大抗日民族统一战线是挽救边区也是挽救中国的中心关键，而巩固国共两党的亲密合作实为中心之中心。立波记者在其《由河北归来》的通讯中说到：“边区统一战线的成绩非常的好，各党各派的合作，达到了令人可喜的和谐程度。这里原来没有国民党的组织，我在那里时，在老国民党员刘奠基先生，× 路军 ××× 副师长提议与协助之下，正在力谋恢复党部的组织。山西的行政人员和 × 路军在各方面合作的密切，是他们常常自诩的事。”（二十二日《新华日报》）

边区中，国共两党合作的真义在那里呢？

首先，是为了“抗日救边”。因为边区在危急存亡之秋，当时抗日救边的大事，不是当时国民党一党所能担负，因为国民党在当地尚无组织，国民党中央又领导不到；也不是那地共产党一党所能担负，因为那地共产党力量也很薄弱。除国共两党外那地更无其他足以胜任领导的力量。可是首先由国共两党同志走向了亲密的合作，集合国共两党力量，以至各抗日党派的力量来共同领导，共同负责，就显然能济于事，很大的艰巨任务也就负担得了了。国共两党一合作，一切抗日力量都团结起来了,“抗日保边”的事业就好办了。可见，共同领导，共同负责，正是共同发展，共同胜利，于国民党有利，于共产党有利，于中华民族有利，只有于日寇不利。

边区的经验证明了，共同领导，共同负责，不是共产党向已在领导地位的国民党争领导权的问题，而是共产党愿意在民族危急之时，帮助国民党负一部分责任，替民族多做一部分救亡事业的问题。当边区处在四面皆敌之时，如果当地共产党员不是真心实地的愿替祖国及边区做一点救亡事业，那时，恐怕四十余县的边区又将变色了。孤舟狂浪之下，共产党人救亡保边之不暇，又何争领导权之有？共产党人深恐民族力量削弱，深恐共同领导力量不足，故又帮助国民党建立组织，发展党员，可见这里争的不是什么领导权，而是为民族国家共同奋斗。

边区的经验又告诉我们：帮助国民党负一部分抗日救亡事业，不但不会动摇正在坚决领导抗战而为国人所承认亦为共产党所承认的国民党的领导地位，而且巩固它的领导地位。共产党人不但在国民党能够直接领导的国土上巩固国民党的地位，而且在国民党不能直接领导的这个边区中也巩固国民党的领导地位。

边区代表大会更是充分的表现了这种国共合作的真义，也就是巩固与扩大抗日民族统一战线的真义。大会上国共两党代表的致词是值得我们大家特别注意的。国民党的代表刘奠基先生曾经这样的说：“第一次大革命的空前发展，是由于国共合作，因而把革命势力团结起来，一九二七年国共分裂，因而造成了十年内乱，遭致了日寇的求之不得及中国之最悲惨的损失。今天新的统一团结，才发动了坚决抗战……现在国共两党……各党各派，都在民族统一战线上更紧密的联合起来了。日本强盗攻击我们越凶猛，可是我们的团结力量越坚固。……今天大会要本着这一历史的指示，去作领导，才能把握革命的胜利，必须这样，才会把日本强盗赶出中国。”共产党代表黄敬同志接着说：“中国共产党在过去与今天，都以全力争取民族独立，民权自由，民生幸福，从这一点可以看出，在民主革命的阶段中，共产党的主张和革命的三民主义，在实际上是符合的。这一点，就决定了国共两党长期合作的可能性和必然性。所以我们一致的主张，国共两党，应当坚决合作，更以这为基础团结其他各党派和各中华民族的一切力量，为创造独立自由幸福的新中国而奋斗到底。”

究竟边区采取那些具体方法来巩固国共合作，来巩固与扩大民族统一战线呢？

第一，由国共两党及其他抗日党派协商与决定了一个共同纲领。这个纲领获得了党军政民的代表大会全体通过，定为临时行政委员会的政纲。这个纲领就是大会宣言上所说的这几点：（一）在中央政府蒋委员长战区阎、程司令长官的领导下；（二）以各党派各阶层各民族的坚固团结为基础；（三）真正普遍武装人民动员人民参战；（四）真正改善人民生活保障民主权利；（五）彻底肃清汉奸；（六）真正统一财政经济，保证部队给养；（七）发动民众最高积极性去参加战争中一切工作；（八）使冀察晋边区成为华北抗战的良好根据地以争取持久抗战的最后胜利。

第二，由国共两党及其他抗日党派共同集议来协商边区各种问题。例如，十一月中聂司令员对边区行政之不统一觉得遗憾，因此商同与山西省政府隔绝之一区政治主任宋劭文先生，筹议边区政府的建立……他们一面请示阎司令长官，一面就同来阜平与冀察的军政领袖交换意见，结果一致认为必要，因有筹备会的产生。再经宋主任等之各方接洽，结果甚为圆满，遂有大会之召集（“大会日刊”第一期）。大会有包含各抗日党派团体代表的主席团，先有预备会之协商，后有各党派团体抗日先进分子之当选为委员，凡边区一切行政问题都由这些委员集体领导与商决执行。

第三，以国共合作为中心，团结各抗日党派各团体于民族统一战线之内，于“共同领导，共同负责”之中。这在大会筹备中，代表中，行政委员会领导成分中，显然可以看见这种真象。其他各级政府，各项工作，各种组织中自不待言。

第四，在“抗日高于一切”，“一切为了抗日”，“一切服从统一战线”，“一切经过统一战线”的口号下，各抗日党派保存其应有之组织的独立与批评的自由。以互相监督，善意批评，深切讨论以趋真理的毕露，意见的一致，领导力量的增强，工作效能的加大，这对于抗战，有莫大的利益。

这样来正确认识与具体运用以国共两党合作为基础的抗日民族统一战线，才能使边区的民族统一战线充实有力，才能使民族统一战线巩固和扩大。也正是这样，才能使民族统一战线在边区收到伟大的成果，而成为边区的生命线。无怪乎边区代表大会以此自诩的说："大会中充分表现了统一战线的巩固，这一巩固，给那些阴谋拆散中国抗日民族统一战线的日本帝国主义及汉奸卖国贼以致命的打击；这一巩固，显示出冀察晋边区抗日根据地已经成了华北持久抗战的主要堡垒之一；这一巩固，更证明我民族持久抗战的前途，必然是胜利的。"（大会通电）

三　如何实行民主政治与改良民生？

甲、关于民主政治方面

边区的行政机构，一方面确定"在行政体系上，它是中华民国的组成部分，它有执行与遵守中华民国法律与命令的权利和义务”。另一方面，“其实际内容是贯彻抗日与真正民主”。边区内最高行政机关，是临时行政委员会，它是经过大会选举与国府行政院批准的。行政委员会内设秘书长、民政、财政、教育、实业各厅，按省政府组织法组织。县政府、区、乡、镇或村公所的组织法仍旧，区有助理员二人到四人，不过县长、科长、区长、助理员均由民选，未能选举者由行政委员会临时委任。乡镇或村长亦须民选。上级对下级政府实行巡视与检查制度。

在保障群众民主权利上，还确定这样法令：（一）保障群众集会、结社、言论、出版、信仰之自由；（二）扶助民众运动，承认各群众团体的独立性；（三）政府在可能条件下予群众团体以物质上的帮助；（四）政府应即颁布各阶级各民族群众利益的各种条例与法令（如《劳动法》,《商业法》,《婚姻法》……）；（五）群众团体有依法监督政府之权，但不得直接干涉政府行政。

此外，规定司法独立，成立高等法院及县司法处之外，特别对于专力锄除汉奸，成立了保卫局，执行彻底肃清汉奸之任务。

最后，取消了薪饷制度，统一规定了各级政府人员每人每月生活费，不得超得十八元。

这样的行政与机构，的确在今天抗日的民主政治中是表现出先进的，实际的与模范的意义。它的特点：

一、它吸收了坚决参加抗战的各抗日党派团体中有威望有能力的代表参加政府工作，这样才真正能充实政府领导抗战的力量。

二、官吏民选，这样的政府才能真正代表民意，而且能实现弹劾政府与随时撤回不称职的代表，使吏治合理化。

三、边区政府采取真实的委员制，按民主集中制原则，来集体领导，各人负责，互相监督，互相帮助，共同商议，共同决定，这样才能真正使政府领导健全，行政效率加大。

四、特别提出保障群众团体的民主权利，这不仅适于发动民众抗战，而且群众团体真正成为政府的坚固基础，使政治机构坚强有力。

五、巡视与检查制度之真实施行，是上下贯通，便于推行吏治的好方法。

六、取消薪饷制度而代以最低限度生活费，是使政府廉洁，造成发扬艰苦精神的模范。

乙、关于财政经济方面

一、财政金融上　边区以树立战时自给的财政制度以应长期抗战之目的，在基本上采取募集公债，展还旧债，废除苛杂，征收直接的累进的新税（动产不动产税，遗产税，所得税），增加公共企业的收入，建立边区关税，没收日寇汉奸财产，在紧急设施上，用高度税率征收特种消费税，征收动产超过税，缩小公务费，举办十足公债的救国基金与储金，由边区政府统一财政收支，确定公开的预算决算。在金融上，发行定额纸币，禁止滥发土票，组织各地商家联合，依其资本发行一定之土票，自动收回省票，协助农民合作社，发行以农产品为担保之流通券，收集现金银外币，建立信用机关，发展商业信用，举办汇兑事业。

二、经济设施上　方针是：（一）充实与发展自给的战时民族经济，增强抗战力量；（二）改良人民生活以利抗战动员。

办法：

（一）农业上 1. 奖励开荒；2. 给农民以生产工具资料，迅速恢复遭敌蹂躏后的生产；3. 替抗日军人家属代耕或承耕；4. 逃走了的地主的土地暂时借给穷苦农民无代价的耕种，所有权仍属地主；5. 减轻农民负担，取消旧税苛杂，减租减息，规定公平的最高租额；6. 改良农业技术，协助农民办合作社；7. 鼓励生产，特别是熟期短、产量丰的生产；8. 促进畜牧树业，采食野产；9. 筹划资金低利借贷；10. 建立仓库储蓄粮食；11. 大量节省粮食。

（二）工商业上 1. 发展农村手工业，开发国防工业，举办工业信用借贷，奖励投资；2. 保护私人商业自由，组织特产品输出与必需品的输入，管理重要商品的出入口；3. 调济物品供给，平衡价格，反对奸商。

（三）文化教育上 方针是提高民众抗战情绪，扶植与提高民族战斗精神。办法：1. 恢复乡镇小学，编制救亡教材，荐举与培养教师；2. 按合理负担及利用公用收入充实学款，小学免费，规定教员待遇；3. 改变学生生活军事化，参加实际活动，废除不必要之课程；4. 扩大民众教育——设立农民补习学校、夜校、识字班，组织宣传队、剧团到民间宣传；5. 加紧干部教育，成立各种短期学校、训练班，办边区日报。

在边区严重的战争环境，为了适应抗战环境与改良民生以利发动民众抗战，采取这样许多好的具体步骤是必要的，而且是正确的。其重大特点表现在：（一）用自己内在力量以开经济财政之源，用节省的办法以节物力财力之流，这样来适应长期抗战的需要；（二）切实去合理的尽可能的改良民众生活，以利发动民众积极抗战；（三）积极发展国防教育，提高内部团结力与战斗精神。

四　如何发动与组织民众抗战？

甲、边区民运的基本方针

边区政府把真正去普遍武装人民，动员人民参战，作为自己的重大任务。边区动员人民武装人民的基本方针是：（一）经过巩固以国共两党合作为基础的抗日民族统一战线，来团结广大的各阶层各民族各民众团体的民众，统一于政府的领导之下；（二）在“抗日高于一切”口号下，给民众以各种政治上的民主自由，并经过政府的立法工作，给群众各种利益以合法的保障与改善；（三）政府军队与民众切实结成一片，“武力与民众结合，武力成为民众的武力”；（四）人民内部阶级间，政府军队与民众间的摩擦，基于全民与抗战的利益，用互相让步的协商的办法加以适当的调解。没有这样明确的必要的方针，是不能发动与组织边区那么广大的民众。在边区抗战过程中，起那么伟大的作用的，这种民众的作用，也就成为挽救边区巩固边区发展边区的极重要因素之一。刘奠基先生在边区大会很正确的说：“如果革命离开了民众，一定不会成功，不会有力量的。只有革命势力与广大民众紧密联合，才会有很大力量，才会粉碎敌人的进攻。”

乙、动员民众的方法

第一，广泛的深入的具体的宣传鼓动，将日寇空前的罪恶行为——奸掳烧杀与欺骗政策，特别是边区附近不远的，与民众多少耳闻或目见的具体材料，作毕露无余的揭发。同时告诉民众斗争的出路，如何斗争能够胜利等办法与前途。在“保卫生命”、“保卫家乡”、“保卫祖国”、“誓死不当亡国奴”的口号之下，武装民众，组织民众，团结民众。

第二，实行合理的负担，宣传富有者和地主自愿来减租减息，合理负担，或者用地主与农民的互相商议办法实现之。五台的民众之所以如此积极动员起来，其中由阎主任赵主席等自任合理负担一举，有重大关系。

第三，政府给民众以民主自由，保障民生之改善，这是发动民众的非常重要的步骤。因为政府坚决代表民众利益，实现与保障民众的利益，政府成为真正民众的政权，这使群众不但一般的拥护政府，而且愿意为保护自己的政府而决死奋斗。

第四，军队有模范的政治纪律，不侵犯民众利益而与民众打成一片。

丙、民众的组织形式

边区代表大会时，有代表具有一百二十万民众的一百一十四个民众团体的代表到会，可见边区的民众组织是很广泛的，那地有牺盟会、农会、农救会、青救会、工会、妇救会、学救会、教救会、民先队等等。这些群众组织，都是按各自不同的社会阶层，各自不同的政治经济文化上的利益组织起来，而在“抗日高于一切”的口号下统一起来，并受政府领导，成为政府的坚固基础，使边区各级政府充实有力，使它领导民众能如臂使掌，中心之点就在于此。

丁、民众之英勇抗战

边区自从开始到现在，都只有少数的正规国军，其所以能捍卫边区，能够保持中国领土，其所以边区能够成为今天华北抗战的重要根据地，正是因为边区有广大不甘屈服的黄帝子孙，他们配合一部国军誓死与强敌战斗，而且不断获得胜利的结果。他们的武器虽然是很落后，兵力虽然是很薄弱，敌情虽是如此的严重，可是他们有了领导，相信自己能够胜利，知道作游击战争的办法，知道“集千百万人之力为一力”的道理，知道“民众有了组织就成为不可战胜的力量”，而决死与日寇血战，没有一天停止过。

边区民众的武装组织是很庞大的，一千余万民众中，有组织的地方武装（游击队、人民抗日自卫军、少先队……）约 ×× 万。人民抗日自卫军的组织，凡乡村间在十八岁以上五十岁以下的人民，不分男女，都加入自卫队。（男女单独编制）六人到十人为一小队，二到四小队为一中队，二到四中队为一大队，按原有行政区域的划分，按村庄的大小组织起来。县设有人民武装自卫队总队部，边区民政厅下设有人民武装部，在作战上属于军区司令部及各区游击司令部指挥。

自卫队组织之后，以区为单位进行小队长以上的训练，军事上则讲授与实习集合、立正、稍息、使用武器、如何站岗放哨及破坏敌人交通，防空防毒等初步动作。政治上则讲演与讨论如“日寇”、“中国”、“中日战争”、“我们抗战能够胜利”、“如何胜利”等问题。小队长回去之后，每天抽出一个钟头空余时间，集合农村队员进行训练。

游击队义勇军是脱离生产的，按大概编制组成后，只经一周的训练即开赴前线，或单独游击，或配合正规军作战。边区游击队在若干次单独行动中，不仅是扰乱敌人迷惑敌人，破坏敌人后方交通，而且袭击敌人守备下的车站（定县车站、寨西店……），缴获敌人军用品，枪支、炮，俘虏敌人许多人马（唐县）。这样例子非常多。

在敌人以二三万大兵几次来作大大小小的“围剿”边区的时候，民众武装在配合正规军作战中，起了很大的作用。他们刺探敌情，封锁消息，坚壁清野，担架运输，维持后方，锄奸捉探，打击敌人，危害敌人，分散敌人，成为正规军作战的有力助手。而且在配合华北与各战场的行动上都是有作用的。

总结来说，冀察晋边区这个华北重要抗日根据地，已经在八个月的中国抗战中起了伟大的作用。它在坚固的国共两党合作与民族团结基础上，在结合民众决死与日寇战争中，不但是敌人不可战胜的力量，而且能在持久抗战中，在配合全国长期抗战中，来争取最后战胜日寇的。假如像这样的抗日根据地在今后敌人后方多出现若干个，来相与呼应，来配合全国军民作长期抗战，这当然是争取持久抗战与最后胜利的重要因素。因为，“诚使我全国同胞，不屈不挠，前仆后继，随时随地皆能发挥坚强之抵抗力，敌之武力终有穷时，最后胜利，必属于我”（蒋委员长）。可是边区目前还是处在非常艰苦的环境，还是需要全国政府军队民众，在精神上物质上特别是武器上弹药上经济上给以即时的实地的援助，这对于边区，同样对于全国持久抗战上都是有必要的。

陈昌浩

我们保卫陕甘宁边区

一

在过去八个多月的抗战中，陕甘宁边区的军队——八路军，虽早已开赴前线，浴血抗战，建立过不少英勇的模范的战绩，但陕甘宁边区，还是处在抗战的后方。我们最近得到了一年的和平时期，使边区人民在生活上有了相当的休息与改善。自从二月中旬敌人变更战略，加紧向晋南进攻，长治、临汾及同蒲南段全被敌人占领后，这种和平的环境又为战争的环境所代替了。敌人现已进至黄河东岸，屡图从碛口、军渡、马斗关、平渡关等处渡河进扰边区。吴堡、宋家川方面曾遭敌人隔河炮击，府谷友军所驻县城且曾一度被敌占领，后又被我军收复。绥远方面的敌人，也正配合着山西方面的敌人向陕北进攻，尤其严重的是陕甘宁边区附近的土匪，当着日寇炮轰宋家川时，也从宜川、韩城，从豫旺、固原等地向边区境内进扰，企图袭破延安，捣乱我抗日后方，以接应日寇的侵略。边区政府所属之山城堡、黑城岔两区政府所在地，均曾被日寇所组织的土匪袭入。一切这些事实，都向陕甘宁边区的民众明白指出，边区已经成为直接抗战的战场了。

陕甘宁边区政府所辖的地区，虽然只有二十余县，而且是很贫瘠的区域，人口总数也不过五六十万，但是，它在全国抗战中所处的地位，所负的责任，是非常重大的。因为它是全国抗日的比较先进的地区，是保卫整个西北的有力支点之一，是团结西北民众抗战的模范区域。所以我们早就预见到敌人迟早一定要用极残酷的手段来进攻边区。如果我们能坚持保卫边区的抗战，不让敌人能够占领边区，便可牵制敌人很大力量，不能南下进攻武汉，不能夺取整个西北，达到其控制西北，截断我西北国际要道的企图，更不能利用陕甘宁边区的失陷，去动摇破坏全国抗战的团结与抗战到底的方针。所以坚决保卫边区的工作，也就是与保卫西安，保卫武汉，保卫西北，保卫全中国不可分离的工作。

我们是要坚持边区的抗战直到争取全国抗战的胜利。我们对于“抗战到底”与“抗战必胜”具有绝对的信心。同时也不忽视抗战当中可能发生的许多困难，而造成轻敌的错误。这些可能遇见到的困难如：

一、首先是战争的长期性质。因为我们是一个半殖民地军事技术落后的国家，去同一个具有强大近代武装的帝国主义国家作战，暂时的部分领土之丧失，重要海口的封锁，是不可避免的。我们只有在全国持久抗战中，去消耗敌人的有生力量与物质力量，以至最后击败敌人。边区抗战是全国抗战的一部分，无可否认的，也要遭受着长期抗战中的许多困难。

二、日寇有可能利用其机械化部队，占领边区几条公路和几个城市，将边区分隔成几块。或由山西、绥远、宁夏及渭河南岸，采取大包围封锁战略。虽然目前鲁南晋南绥西抗战的胜利，暂时打击了敌人进攻边区的企图，但敌人进攻边区的上述危险，是依然存在的。

三、西北广大地区中有一些地区是蒙回民族的区域，日寇故意挑拨蒙回民族和汉族的仇视与冲突，企图使蒙回族与汉族分离，而达到其破坏汉蒙回被压迫民族的抗日联合战线。这使我们在保卫边区的任务中，同时还要争取蒙回人脱离日寇欺骗影响，而与汉人联合起来去抵抗汉、蒙、回族的共同敌人——日本帝国主义。

四、同边区邻近各县的政府、军队、民众运动工作，还存在许多的弱点，不能适应今天战争的需要。政府与人民间，地主与农民间，还存在着许多不应有的冲突现象。广大民众，还没有很好的组织起来，武装起来，拥护政府军队参加抗战工作。

五、在长期抗战中，由于边区地瘠民贫，影响我们的粮食和经济，会发生极大的困难。

虽然我们在保卫边区的持久抗战中可能遇见上述的许多困难，但我们有着传统的艰苦奋斗的作风，能够不畏任何困难，能够战胜一切困难，而且我们今天保卫边区的抗战，还具备着许多比过去国内战争时期更好的更顺利的条件。这些条件如：

一、首先是这次战争的性质是民族革命的性质，所以它的社会基础有包括一切不愿当亡国奴的阶层，它的抗战地域，包括整个的全国。我们边区的抗战有着全西北全中国的共同奋斗，而不是孤立无援的。

二、是边区有着民主的政府与进步的军队。这里的政府军队和人民是亲密的打成一片的，这里的民众是有着高度的民族觉悟，过着长期的组织生活，他们早就团结在各种抗敌群众团体之内（如抗敌后援会，工会，青年救国会，妇女联合会，农民会，文化界救亡协会……等），早就建立自卫军少先队等武装组织，并且有丰富的游击战争经验。这里有着不怕困难，不怕牺牲，最忠实于中华民族解放事业的共产党的坚强堡垒。这里有着便利开展游击战争的山地。这里的抗战动员工作，是比全国其他区域更容易进行。因为第一，它是倚靠各种群众组织，从政治上去宣传鼓动群众自觉的积极起来参加，而不是单纯采用行政办法，一纸命令，去强迫群众执行，所以不会使群众有恐慌逃避现象。第二，是广大民众早就得到抗日的言论、集会、出版自由与武装自由，早就组织起来，武装起来，所以不会有“急时抱佛脚”的慌乱没办法现象。第三，是政府在抗战中对于民众生活仍十分关心，虽在极困难的条件下，仍注意保障他们必需的物质生活与提高他们的文化程度。特别是对于抗日军人家属，更切实优待，不使感到困难，所以壮丁皆放心踊跃上前线。由于以上的良好条件，使得边区民众处在今天战争严重威胁下面，并不如别的区域发生惊慌逃亡现象。试拿黄河东西两岸的情形作一对比：在黄河东岸的村镇，敌军未到已逃亡一空；在黄河西岸的群众，任敌人炮轰如何厉害，仍沉着镇静的协助守军参加抗战工作。

三、敌人深入到西北和边区之后，有不可克服的困难。边区山岭重叠，崎岖险恶，机械化部队与飞机大炮威力，均难发挥。而我们的轻武器反而可以到处发挥极大力量。再则，边区既不出粮，日寇深入之后，给养问题，也成为不可克服的困难。即令敌人占领了某条公路，或某几个县城，而在我广泛民众游击战争包围袭击之下，更配合主力军的运动战及阵地战，使敌人遍地受敌昼夜不安，攻击不得，休息不得，人地两生，如入迷途，终必为我歼灭。若果敌人是利用伪军进攻，在“中国人不打中国人”的口号之下，在“汉蒙回民族联合抗日，实现汉蒙回民族解放”的口号之下，是可以宣传伪军瓦解的。日寇在长期侵华的战争中，他的困难将日益增大，财政的破产，资源的缺乏，兵力的消耗，下层的反抗，外交的孤立，都足以制敌人于死地。

从上述一切优越条件，使我们坚决相信能够克服任何困难，能够进行持久抗战，能够争取最后胜利。今天我们保卫边区的方针，在军事上，是要预见到战争之长期性质，要发动广泛民众游击战争去配合主力军的运动战，来坚持边区的抗战，来保卫西北，保卫全中国，一直到争取全国抗战的最后胜利。在政治上，边区争取抗战胜利的方针，是要更加努力去巩固和扩大抗日民族统一战线，边区的抗战不是孤立的，不是只管自己的，而是要努力团结全西北人民共同奋斗。我们的口号不只是要提出“全边区人民动员起来打日寇”，而且要“全西北人民联合起来打日寇”，“西北各民族联合起来打日寇，争取各民族的自由独立”，“坚决为保卫边区，保卫西北，保卫全中国而抗战到底”。

二

现在具体说到我们在过去一月怎样进行抗战动员保

卫边区的工作：

一、我们非常重视政治宣传的作用，一切抗战动员工作之能否完成，全系于我们的政治宣传工作是否深入。我们坚决反对一切不经过政治宣传的强迫命令动员群众办法，所以我们保卫边区的紧急抗战动员，首先是在干部中，党员中，群众中，做一番极深入的政治鼓动工作（经过一切党与群众组织的会议，采用口头的，文字的各种宣传方法，如标语，传单，小册子，演戏，歌咏，宣传队，演讲会，座谈会……等），使每个人都清楚明白目前边区的直接抗战形势；明白敌人一定要进攻边区，而且已经在进攻；明白保卫边区在全国抗战的重大意义，我们要为坚决保卫边区而抗战到底，直到争取全国抗战的最后胜利。我们要清楚了解抗战必胜的前途，坚定抗战必胜的信心。为适应战争时期的工作与作风，我们要坚决肃清一些麻木不仁的太平观念与自由主义不负责任的倾向；要坚决反对一些惊惶失措，没有完成任务信心的倾向；同时，也反对一些疏于准备的轻敌观念。（以为在过去更困难的内战条件下，我们都有办法，日寇更不足畏，因而怠忽了新形势下的许多必要工作。）

我们要发扬过去艰苦奋斗的作风，不怕任何困难，并相信能克服一切困难。我们要在以上的政治鼓动中，把每个边区人民，无论男女老少都动员他积极起来，参加保卫边区的抗战工作，把他的一切能力，一切东西，都贡献于抗战，都为着争取抗战的最后胜利。而每个共产党员，更应在一切抗战工作中积极起模范作用。为了实现以上的宣传任务，我们曾编印了宣传大纲和许多宣传材料，召开了党政军群众团体的各级会议，周密的从组织上去详细传达与动员。并利用各种纪念节与群众大会（如三八节妇女代表大会，“三·一二”纪念孙总理逝世十三周年暨追悼抗敌阵亡将士大会，“三·一八”化装宣传大会，各县自卫军检阅大会，公审汉奸大会以及其他各种群众晚会），各个群众团体的宣传队，去扩大抗战动员影响。边区民众抗敌后援会，最近更特别组成两队战地服务团，分赴两延、榆林、三边一带去增强这些区域的抗战动员宣传。

二、所有边区党、政、军、群众团体的组织形式及工作方法都已适合于战争的情况而改变。要看到战争会使边区各地有着不同的情形：有些是已经与敌人直接作战的区域（如吴堡、延川、神府等沿河各县），有些暂时还是在备战区域（如延安、安塞、安定、保安……各县），某些地方又有可能会一时成为敌人占领区域，并且还有可能将某些区域暂时同其他区域隔断。我们要根据这种实际情况，来划分区域，来决定战时的组织，来决定战时的工作，来配备干部。在可能成为敌军占领的区域，事先就要准备秘密工作的干部，与秘密组织。在可能被敌人截断的区域，事先就要在该地配备能独立领导的干部。在已经直接抗战的区域，要有能够领导民众游击战争的干部，要安置群众平素信仰的领袖。要撤换一切不适宜于战争工作的干部，要由党政军群众团体领袖，共同组织军政委员会以集中领导。党政军群众团体的成员与领导机关，都要军事化，都要与武装部队亲密联系，准备于必要时随部队行动。所以领导机关又要缩小组织，要简单精干，要灵活机断，才便于领导抗战。在上述任何区域，任何部分的工作，都要向着一个中心目的：就是“一切为着抗战，一切服从抗战”。凡足以增强抗战力量的工作，应当努力实现。凡是足以损害或减弱抗战力量的事件，应当竭力避免。要抓住当前的紧急中心工作，不要把平时工作与战时工作，不分轻重缓急的一例去处理。

三、在军事上，我们在沿河神府三边一带，已有周密的布置，我们已经击退了炮轰宋家川的敌人，为了迎击日寇的继续进攻，我们的战略，是在坚持长期的抗战中，去消耗敌人力量，直到最后完全将其歼灭。所以一定要全边区的人民，都武装起来，配合了军队作战。要扼守隘口，并作运动防御；要动员群众与游击队四处袭扰敌人。要采用腰击，侧击，占领要点用手榴弹轰掷，与尾追截击方法，去消灭敌人。要极力阻止敌人的前进，争取时间来准备新的抗战力量。要使敌人每占寸土，都费很大的代价。要在敌人进占地区的坚壁清野工作做得很好，彻底破坏敌军前进道路与渡口，破坏可资敌用的一切东西。（注意：在敌人还未能进占前，不要过早破坏，使自己受损失。）务使敌人进无所获，困难立足。又要在敌人进占区域善于掩藏我们的人、畜、粮食，避免敌人的残酷屠杀。要能实现以上的任务：（一）首先要巩固加强保安队的工作，注意他的成分的纯洁，他的政治训练与军事训练之提高，他的领导干部之忠实可靠。(二)是自卫军少先队工作加强起来，武器配备起来，切实执行警戒盘查放哨工作，并能随调随动，配合军队作战。自卫军少先队的人数虽已达××万，但还应扩大，并特别注意基干自卫军的整理工作。(三)要极力让群众及士兵懂得如何实行抗日的民众游击战争，如何实行坚壁清野，如何防空防毒，如何会喊几句日文口号，或散布日文标语传单，去瓦解敌人军队。(四)要与友军取得密切的联系，在统一的作战计划，统一的指挥之下，共同坚持抗战。(五)决定于“五卅”纪念日举行全边区的地方武装总检阅(保安队、自卫军、少先队、儿童团等)，来检阅我们边区民众抗战的真实力量，来向日寇进攻边区作盛大示威。

四、要更加提高全边区人民的政治警觉性，坚决进行剿匪锄奸工作。每个边区人民，都要清楚认识我们边区是处在战争的环境中，是抗日最有力的先进地区，是日寇最切齿痛恨的地方。日寇一定要来进攻边区，一定要收买一般最卑鄙无耻出卖民族利益的汉奸，托派潜入边区来进行各种破坏，暗杀，造谣，捣乱工作。一定要收买一般土匪作他们进攻边区的别动队。最近我们在部队中，已查出一些秘密潜入来组织哗变逃跑的分子；已捕杀冒充八路军，破坏国共合作破坏蒋委员长威信为日寇侦察绘图的汉奸吉思恭；已发生防空洞私埋炸弹伤人的惨剧；已探知敌人将在边区散布伤寒病菌的阴谋，这都是汉奸活动的事实。在一切汉奸之中，托派汉奸的两面派破坏手段，更为阴险毒辣。应该把反托派汉奸的口号与注意，提得很高。应该加紧发动群众协助政府进行锄奸工作，应该更加要严密我们的各种组织，更加巩固我们的内部团结和民族统一战线；应该对每个地方，每件事情，更加严密警戒，才能使汉奸托派的一切造谣，欺骗，挑拨，离间，暗杀，破坏伎俩不能施展；才更容易迅速发觉这些丑类的活动，迅速将他扑灭。最近，正当日寇军队向我边区进攻时，宜川和庆环等地也有大股土匪同时向边区境内进扰，很明显的是完全在日寇指导之下与日寇进攻配合的。这些大股土匪，都以邻近友区为他的藏身之所。我们应该坚决肃清这些日寇嗾使的别动队，应该与友区的军政领袖协商，共同将之剿灭。若迟徊容忍，一定要受大害。

五、全边区的一切的民众团体，如抗敌后援会，工会，青年救国会，妇女联合会，农民会，文化界救亡协会……，都已使他们的组织形式及工作方法，完全适合于今天战争的环境。在今天，是抗战高于一切，一切为着抗战，一切服从抗战；在今天，全边区一切民众团体，都要尽力去动员全边区人民来参加抗战工作，来帮助政府军队作战，帮助政府军队组织担架队，运输队，缝纫队，洗衣队，看护队，救护队，慰劳队，锄奸队，护路队，破坏队及修筑工事，征募战士，收集军需用品，供给军队粮食，安插伤兵难民，以及盘查，放哨，警戒，侦察，剿匪，锄奸……等工作。一切民众团体都要动员他所有组织的力量，来保证以上一切抗战工作之顺利进行与完成。

在上月敌人攻到黄河边上时，最紧急的动员问题就是运输问题。这一任务落在延川，延长，固宁三县的民众身上。我们经过自卫军组织系统去动员，经过一番政治宣传之后，立刻跑来了四千多名运输队与一千多匹驴马，他们都是在自卫军的营连排长指导之下，很有组织的很快的完成了任务，而且还帮助了绥远先遣队的运输问题。在延安、志丹、安塞、庆环、三边等地也曾动员了大批的运输队，都像两延一样超过预定额数与期限的完成任务。这证明边区民众是如何踊跃的参加抗战动员工作，并且因为平素有很好的组织，更能够保证抗战动员工作非常顺利的进行。

六、虽然陕甘宁边区今天已是直接抗战的环境，但是在可能范围内的经济文化建设工作，特别是与抗战有关的经济文化建设工作，我们还是积极进行。目前正是春耕时期，我们仍在各县加紧进行春耕运动，坚决反对那种借口抗战紧急而完全忽视春耕工作的倾向。因为我们的抗战，是长期性的，为了保证长期抗战粮食的供给，更应注意春耕工作做得很好。现在春耕工作中最严重的问题，就是边区耕牛瘟死了二千五百头，如何补充？许多县的农民缺少种籽，抗属土地缺少劳动力，如何解决？边区建设厅已协同西安省政府呈准蒋委员长，在陕北举办农贷二十万元，我们正组织农民利用农贷去解决耕牛问题。并组织义务耕田队，妇女生产小组，儿童老年杂务队等去解决抗属劳动力问题。关于文化建设方面，边区教育厅原定本年将小学由五百所增至七百所，学生由一万人增至一万六千人并没有因战事而停止进行。在上月新成立的高等小学校，已有七所。延安民众教育馆的工作，也因抗战宣传之加紧而更活跃起来。

七、关于战时的财政经济问题是边区最难解决的问题。因为边区是贫瘠的地区，不仅日用工业品缺乏，就是粮食也很少，在长期抗战中，这种困难将更增大；但这并不是全无办法克服，我们有多年艰苦奋斗的经验，过去已经克服过了一切困难，相信将来也能克服一切困难。在财政政策上，是基于有钱出钱、有力出力、有粮出粮、有知识出知识的方针之下，去动员一切人力、物力、财力供给抗战。再则战时可能实行的工业建设（如延长石油）及农业建设（如修水利扩张耕地等）仍极力进行。

八、虽然敌军还未进入边区，但我们已开始在群众中提出宣传敌军工作。我们告诉群众：无论对于日本士兵和蒙伪军，都要尽力用宣传方法去争取他倒戈过来，与我们联合抗日，要优待俘虏。我们并极力教会群众能写日文蒙文标语，能喊日文蒙文口号，这在将来与日寇作战时，是有极大作用的。

九、最后而且是最重要的，是我们的任务决不只限于保卫边区，而是团结全西北人民（包括各民族）的抗日力量来保卫整个西北，保卫全中国。所以要努力去巩固与扩大统一战线工作：（一）是要与邻近边区的政府军队和地方部队建立亲密互助的关系，联合他，推动他，坚决实行抗战，坚决肃清土匪。如果该项部队的情绪不好，与群众关系不好或有何困难问题时，应诚恳的帮助他巩固部队，改善部队与民众的关系，帮助他解决一切困难问题。要同他在军事上取得适当的配合行动，要帮助他成为坚强有力的抗战部队。我们住在邻近友区的党员，应该去发动群众来拥护当地政府军队的抗战，应尽力调和政府与民众间的关系，使不受日寇托派汉奸的挑拨，走向冲突。所有一切民众团体与民众运动，都应该是公开的，合法的活动，都是拥护政府军队抗战的，都应该按照同类性质统一起来才更有力量，并应该适合战争的情况，能随机应变。虽然过去我们与某地方的友党，友军，友区政府间，还存在一些摩擦的事件，但我们应在基本上看到他们是主张抗战的，他们是不愿中国灭亡的，因此他们是会需要联合共产党与动员全体民众来帮助政府军队抗战的。所以在今天大敌压境的时候，我们诚恳的联合他，帮助他，是可以使双方关系弄得更好的。（二）是在战争的情况下，会有许多的友军或伤兵难民经过边区或到边区来，我们应尽力发动群众，帮助他解决运输、粮食、担架、救护等问题。要在物质上与精神上，鼓舞他们坚决抗战的情绪。又当我们的八路军留守部队，或边区地方武装，在战事的需要开入邻近友区时，他的一切行动，都要取得当地党政军的协商同意，他要服从一个最高原则，就是一切经过统一战线，一切服从统一战线。就是在敌人占领而又为八路军或边区地方武装收复的区域，如果旧县长已不存在，临时组织的政权，也还是要能巩固统一战线的，以后并仍要请示该县原属的上级机关来领导。我们应该让全国人民从这些事实更清楚的认识边区的政府，边区的军队，是巩固全国统一的模范，是真正拥护与服从中央政府领导的，以此来粉碎日寇、汉奸、托派挑拨离间，破坏国共合作，破坏民族统一战线的阴谋，更加能巩固全国团结，争取抗战最后胜利。（三）对于蒙回民族问题，我们是要努力消除过去蒙回民族对于汉族的仇视，要努力争取蒙回民族不受日寇欺骗利用，亲密与我们联合抗日。这里需要我们的友党和中央政府，及西北方面的高级军事领袖，能够更清楚的理解蒙回民族要求解放运动的事实，切实的采取许多办法去帮助内蒙民族真正获得自决自治权利，并尽力想法去化除回汉民族间有长期历史的互相仇视，才能真正争取汉蒙回民族亲密联合抗日。

若　飞

冀南游击队的阵容

一　冀南游击队的产生

在“芦沟桥事件”发生之后，冀南的一般知识分子，看到中华民族的危机，与国家的沦亡，便不顾一切的冲破了艰难，组成了冀南文化界抗战守土联合会，来推动冀南一带的救亡工作，武装民众，与开展地方游击战争。但是，地方行政当局，始终不能谅解，处处予以压迫阻碍，最后竟然明令把该会解散了。

从此以后，冀南的救亡工作，就不得不另换方式，而秘密的去进行了。便借着河北省立大名师范为掩护，以学校国难教育实施委员会的名义，在作着推动冀南救亡工作的中心组织。一方面对该校的全体学生，加以特种训练，作为推动救亡工作的基本干部。训练时间为两星期，每日上午在课堂探讨理论，午后开小组会议解决实际问题，与实习战斗教练。所训练科目为：1. 游击战术，2. 民众组训，3. 战时经济政治问题，4. 防空防毒等四项课程。学生待受训期满之后，分派到自己的家乡，去开发民众组训工作，并积极的武装民众，与建立各地的游击队的组织。然后复由委员会派员轮流巡视指导，依据各当地的特殊环境，指示出来新的工作方式与新的工作原则；随时随地的解决工作进行中所发生的实际问题。此后因为客观情势的转变，与一般救亡工作者的主观上的努力，而冀南一带的救亡工作，便突飞猛进地发展起来。

因为工作的开展，于是就吸收冀南有工作经验，而意志坚决与抗日情绪热烈的分子，就成立了冀南抗日救国会，代替了国难教育实施委员会，来推动救亡运动。该会为适应战时的需要，便采用主席制，执行委员十一人，常务委员五人，主席下设秘书长参谋长各一人，由常务委员兼任。秘书长负责一般的政治工作，以抗日救国十人团的核心组织，去推动民众的组训工作，并加强对民众的政治影响与领导。参谋长负责军事的布置，积极的去发动民众自卫，并武装民众，与建立地方的游击队，开发工作所用的口号是："地方武装，应保卫地方！""民众要自动的武装起来，保卫我们的国家保卫我们自己的家乡！""要用民众自卫的力量，去制止汉奸的活动，去消灭土匪，去防范溃兵，去抵抗侵略我国境的日寇！"因之各地的民众自卫组织，迅速普遍地建立了起来。

冀南的游击队是在民众自卫运动的基础上发展起来的，所以它的素质方面，比较单纯。冀南游击队活动的区域，北区以大名作中心，有成安、肥乡、曲周、广平等四县。南区以清丰作中心，有濮阳、南乐、东明、长垣等四县。在这两大区域内，又划出四个中心区，就是濮阳的井店镇；南乐的梁村、翟村；大名的杨家桥；成安的漳河店。游击队大部分散在各区域内，潜藏与掩蔽在一般的民众自卫组织当中。在清丰县城北古城集有八百余人，大名与成安之间的有五百余人，内部工作分配如下：总队长负军事指挥与军事训练的责任，政治委员负军队政治训练的责任，政治部负军队与组织政治训练的实际责任。此外还有青年宣传队，担负对民众宣传的责任；老头队专负谍报，交通联系的责任；妇女队除负农村妇女运动责任之外，尚负有缝纫洗涤衣服的责任。总队下面有大队、中队与小队的三层组织。总队长为刘××，政治委员为成×，政治部主任为刘××。大队已经成立六个单位，每一大队管辖三中队，每中队管辖三小队。

二　冀南游击队的主干——河北民军第四支队

冀南与山东、河南两省犬牙相错，正是突出在平汉、津浦、陇海三大铁路干线交叉的中间。在历史上讲，这里因为地处偏僻，政治势力薄弱，所以民性彪悍，变乱时作。此外因为常有黄河、漳河、卫河的泛滥，使一般民众生活，经常在恐慌与不安定状态中。因之农民自发的骚动，也不断发生。在这些地理、政治、经济种种特殊条件之下，便形成了所谓“枪支极多，民性强悍，土匪啸聚，会党盘据”的特殊区域。因此，冀南在许多次中国内战上，都占着很重要的位置。在冀南的游击队有十余个单位。在十余个单位当中，成绩最好，对民众影响较大的，首推河北民军第四支队。因为该部的建立，是从组织民众的基础上，一点一滴地慢慢发展起来的。这一部分的战斗员，都是富有行动经验与抗战情绪的纯粹农民分子，绝没有半个“老兵油子”或“土匪”的成分参加着。而上层主干的领导者，也都是战斗经验丰富与志向坚定意识正确的斗士。所以在行动与政治的表现上，对民众的印象，是非常良好的。第四支队，因为有强固的民众基础与掩护，在游击战上所演的作用，也非常的伟大。第四支队现有八百余人，枪六七百支，活动与驻扎的区域，主要部分是在敌人后方：大名、成安、广平一带，除不时的袭击与扰乱敌人之外，并积极的组织民众，与开发当地的游击战争。另一部分驻扎在南乐留固店，清丰古城集一带，并成立干部训练班，培植下级干部人才，以从事建立各乡、村、镇的农民自卫队。武器来源，除由敌人手里夺取外，大都是由一般民众自动捐出来的；因为冀南一带民间枪支最多，就极小的南乐一县来说，也不下六七千支。在敌人攻陷大名的时候，一般民众都感到自己存有枪支的危险，将来与其被敌人搜出杀头，反不如先送给游击队。同时，在事前第四支队又作了宣传鼓动工作，于是，在很短的时间里，民众们便热诚踊跃地捐送了五六百支枪。虽然这些枪支并不见得精良齐整，可是游击队得到它们去和敌人拼命，简直是获得无上的至宝。

三 河北民军第四支队组织上的特点

该部组织上的特点：第一是采取民主集中的原则，第二是政治领导军事。最高领导者是政治委员，指挥政治部与各中分队的政治指导员，负责全队政治训练以及推动民众组织工作。支队长统率大队长、中队长、分队长，专负军事训练和军事指挥的责任。至于支队的行动方针，以及每次较大的军事计划，均须由政治委员与支队长联席会议来决定。但支队长与政治委员意见不同时，支队长必须接受政治委员的主张，而且无论对外的命令与文件，均由政治委员与支队长联署，否则一概不发生效力。此外还有两种关于战斗员的政治文化教育组织，一是在政治部领导下的支队俱乐部，二是中队救亡室（下设有军事政治委员，文化娱乐委员，经济委员）。这两种组织，都是全体战斗员自由活动的场所。这里大家可以自由发表意见，和很民主地批判各方面的行动。通过两种组织，根据大家自觉的意志去教育大家，提高战斗员的政治认识，并加强其抗敌情绪。该支队纵的组织系统是每三班为一分队，每三分队为一中队，每三中队为一大队。不过，现时依照实际行动的经验与客观环境的需要，深切了解到游击队是不适宜庞大的组织，尤其是在大平原中去行动，就是一百多人的大队组织，便也感觉到不灵敏了，所以该支队已经将大队制取消。支队部横的组织，除了参谋，秘书，经理，军医各处之外，尚有直属的通信排，特务队。此外政治部的组织，分设组织、宣传、民运三科。每科又分设三股，在这三科之中，最主要的是宣传科，除以壁报讲话教育并鼓动群众之外，还领导各中队救亡室的工作。其次是民运科，该科的任务不仅是去建立军民一致的联系，而且还积极领导民众的一般组织工作。所以政治部在第四支队所占的地位非常重要。不只是担当着政治教育的责任，并且还负有领导和决定军事行动的最高任务。就这一点上便把第四支队组织的特殊性，表现得非常明了。另外尚有妇女突击队，少年团的两种特殊组织，也是受政治部直接领导的。

四　第四支队与民众的关系

在第四支队的行动纲领上规定着："帮助民众组织起来，武装起来，普遍进行抗日自卫。""帮助人民实现减租，减息，免税，救灾，为改良人民生活而努力。""在火线区域和日寇后方，建立真正人民抗日政权。"单就这几条纲领看来，我们可以清楚的了解到，河北民军第四支队，是站在一般民众的立场上，来为大众谋幸福而奋斗的。再就近三个月来该部与当地民众所处的实际关系说，也不能不承认该部在这一点上，已经得到相当的成功。原来他们的生活，是非常穷困的，可是他们在挨饥受冻的万般艰困中挣扎着，苦斗着，从来不曾向民间要求供给过任何东西。该支队成立及今，也未曾得到过政府的接济，生活的维持，全靠各方自动捐助。一般战斗员虽然每天只能吃到两顿小米饭，夜里"原身打原身"的睡着光地，穿着破烂不整的棉衣，在冰天雪地里去守卫国土，去与敌人拼命，一切痛苦他们自愿忍受，绝不愿作向老百姓索求食物，衣服，铺草。但是民众很热烈的自动为他们去募捐，结果捐助了每位战斗员一双布袜子。还有油印机，话匣子，以及医药用品和交通上缺少不得的马匹等，也是从文化团体，学校和农民自动的捐送到了。

五　第四支队与各友军的联系

在冀南作游击战的活动单位，计有：军事委员会的别动队，陈调元领导的光复军，吕秀文的河北民军第二路，濮阳行政专员所统率的各县保卫团，此外尚有民众自动组织成的——民众抗日自卫队，联庄自卫团，红枪会，大刀会等等，统计起来不下十余个单位。在这些单位错综当中的第四支队，为团结该地所有的抗日武装，与免得将来被日寇各个击破，以及配备各部队联系对敌作战起见，于一月二十二日，特别发出“为联合抗日敬告各武装部队书”，拟成立统一的指挥部。兹将其要点抄录如下：“本队郑重向冀南所有正规军队，保安队，民团，民军，别动队，游击队，民众抗日自卫队，以及一切武装团体提议：立刻在抗日反汉奸的目标下，在完全平等的基础上，自动的民主的团结起来，各自派遣代表商定日期与地址，召开抗日的军事会议，选举统一的指挥部，集中力量，共同行动，坚决为保卫华北，保卫中国而抗战到底。本队随时都欢迎各方代表进行商洽。”现时第四支队，更进一步地要求扩大统一指挥部的职权与范围，最近特派人到鲁西与该区领导游击队的前线委员会，以及豫北游击队，后方预备队等武装团体，商讨共同成立冀鲁豫边区抗日游击队军政委员会。总之，第四支队愿与冀南所有的武装组织，经常地密切地联系着，在彼此相互影响，互相扶助和推动之下，来共同担负开发游击战争的任务，争取抗战的最后胜利！

六　冀南游击队作战的经过

冀南游击队的组成，短短的只有两个月期间，所以它对敌人的作战，与各方面的实际经验，都不够。敌人自占领大名所属各县之后，由伪蒙军驻守，该部留居城内，很少到城外四乡活动；同时，因为游击队自身力量薄弱，又难向城内敌人进攻，而且在战略上讲，游击队为避免重大的无谓牺牲，实际上也没有攻城的必要。因此，冀南游击队对敌作战的机会更加减少了。但中间值得叙述的尚有三次。

第一次：敌人自攻陷河南安阳之后，伪蒙军便向平汉路的右翼永年，成安一带进犯。当敌人迫近成安的时候，就遭到县城附近村庄里游击队的袭击，原来敌人不知道大名一带有游击队的活动，无论进扰什么地方，总是疏忽的，大意的。我们成安区的游击队，自从探听到敌人进犯成安县城的消息，便集合潜伏在县城周围的乡村里面，待敌人过了乡村，快到西关的时候，我们的游击队在敌人的背后，集中步枪射击了。敌人在丝毫没有准备的时节，猝然遭到游击队的袭击，自己先乱了阵营，有的当时被击毙了，所余的大部分进窜城内去了（县长闻风先逃了，故成安县城当时只是一座空城）。在敌人进城未立住脚步时，游击队又攻进南门了。敌人闻讯之后，希图从北门逃窜，然而成安县是没有北门的，敌人于是便遭到极大的打击，结果被杀死二百余名。游击队得到了胜利，于是疯狂般欢舞着，以为敌人遭到这次打击以后，不敢马上再来犯的。那知道敌人很快把永年、广平匪军集合起来，又向成安进攻了。我们游击队的力量本来薄弱，没有丰富的战斗经验，再加着敌人事前已有准备，结果游击队的一部分战斗员被牺牲了，有六七个乡村被烧了，有一部分农民亦被敌人惨杀了。这次失败，明显的错误是：没有很灵活的应用游击战术，没有采用“避实就虚”“飘忽不定”的原则，事前未作有计划的退却，或是“由整化零”的潜伏在各乡村里。

第二次：敌人进攻大名，由广平沿平大公路前进的时候，游击队事前就伏在公路两旁的乡村里边的谢家寨，于寨，杨家桥一带。当敌人走过之后，游击队即开始追击，附近四外村庄散布着的游击队，亦同时包围进剿。可惜那一带都是大平原，很少有可以隐蔽伏藏的地方，游击队人数又过多，约有三四百人，目标太大。于是，敌人便用骑兵猛冲，与集中炮火射击，终久把我们的游击队冲散了，并且受了相当的损失。根据这一次经验，我们深切的了解到，游击队为要达到进退迅速，动作敏捷的任务，必须化作较小的单位，至多不过三四十人，以十二三个人最为合适。惟有这样，方能做到“飘忽不定”“出没无常”。

第三次：是正规军反攻大名的时候，我们的游击队，也参加到里边，与正规军配合着攻取大名。游击队所担任的是城防南关，前后一共进攻过七次，每一次虽然都是英勇的冲锋，每一个战斗员虽然都抱着最后牺牲的决心，不但不能动摇敌人所占据城池，反而，游击队自身受到的损失，比较上两次的作战要大得多。这固然因为敌人防御工事坚固，与武器精良，但最严重的错误，就是大部分战斗员，只凭一时的情感冲动，完全为主观上英勇所支配，忽视游击战术的巧妙的运用，在配合主力军作战的时候，与敌人打硬仗。游击队的主要任务，在袭击敌人，牵掣敌人，扰乱敌人，威胁敌人，如果也如同正规军一样，对敌人采用对垒的阵地战，那就不免要吃亏了。这种宝贵的教训，由大名攻城一战，深切地把握着了。

冀南游击队，除了以上所说的几点之外，其余都是零星的接触，如破坏敌人的交通，扰乱敌人的后方，截夺敌人的给养。据报载，此次我军克复清丰、南乐、大名各县，当地的游击军，出力最大。

李素若

冀西的游击队

一　这支游击队的成长

当北平沦落后，杨秀林教授号召着平津学生“在敌人占领区内，高竖起祖国鲜明可爱的旗子”。平津的有血性青年学生们激动了，大批的游击队在平郊，在冀西活跃地战斗着！

这位文弱的杨教授今日已变成雄纠纠的保卫祖国的战士，他带了平津学生四五十人在他的朋友张荫梧帮助之下，在灵寿建立了冀西游击队第一大队；不久又建立第二大队于平山；十月下旬又建立直辖大队于娘子关外；在河北战争急转之下，他又把溃散下来的士兵加以政治训练，组成第三大队于昔阳；这时他的声威浩大，临城的抗日义军也愿受杨领导，即开往高落镇加以训练，编成第四大队；内邱原也有一支抗日义军，他们也愿受杨领导，即调往庄富加以训练，编成第五大队。

队伍扩大到五六个大队了，所以开始在高落镇成立总队部，杨秀林任总队长，余林盛任副总队长，参谋长岳一峰，政治主任李怀珠，在那里他们高竖着祖国的旗子，那鲜明可爱的旗子！

二　游击战的开始

在高乐北五十里有要镇叫东冶头，是九龙关去昔阳必经的要道，敌人占九龙关后，图谋大举占领昔阳，杨指挥以这些英勇的游击队员，配合 × 路军一夜袭敌三次，粉碎敌人南下的企图，直到昔阳的县长与公安局长转来，才把高落的防务交给这位县长组织的游击队防守。他们即开往冀西跨过太行山，这时正是二十九军反攻的时候，敌人大部南移，在临城留守的敌人有五十多个，他们得到了报告以后就决定行动，因为第四大队的弟兄们差不多都是临城健儿，所以他们请求包打临城。当他们接近城根时敌人还未觉察，他们由西门进攻，敌人怆惶由东门退出三十里外去了，这次获得了官仓的食粮与官监，救济了劫后的在敌人铁蹄下的同胞。

另一次是在内邱县的上塞，他们在那里住了一个大队，敌人派三百多人来围攻，在敌人还未临近时，他们就退到附近的山上去了，为了避免敌人的屠杀，把村子中男女同胞完全带去，敌人进塞后，大施狼威，塞里火光连天，当夜的四点钟前后，他们很敏捷的赶回来，这次是第三大队和第五大队三百多个弟兄打先锋，四面夹攻，那些敌人想不到他们又能很快的转来，只有焦头烂额的跑了，敌人的尸首二十多条用来献给他们伤亡游击队员的英灵。夺得敌人两门迫击炮和好多炮弹，还有三四十支“东洋枪”，英勇的游击队员愉快的吃着“东洋饼干”，骄笑望着他的胜利品。

三　汉奸的被铲除

劣绅张允明曾任过淞沪护军使，他指挥着喽啰们三百多人在内邱兴风作浪，打自己的弟兄——从前线上溃下来的散兵。当杨秀林游击到内邱时就设法使他觉醒，配合派代表去同他谈判，他很冷淡的回答说：“我是不打游击队的，也不打日本。”一次他的弟弟请他进内邱县城一趟，通过他弟弟的关系，日本人大宴了他一次，他的弟弟原是伪维持会的伪委员，请他把杨秀林的头拿来换内邱县的县长委任状。于是这位张允明负着这样的使命来捕杨秀林，破坏游击队。但杨早已知道了他的企图，一天他带十几个喽啰来会见杨秀林，大家决定由第一大队长与他会见，一进门就把张允明捆起来，他的喽啰早已解除武装了，马上召开群众大会，把汉奸的爪牙，经过群众一一肃清，在广大的群众掌声中开刀了。那些受愚弄的同胞们，经说服后，醒悟了。张允明家里存的枪，今日一直在游击队员手里。

四　队伍的发展

现在他们已发展到八个大队两千多人，三个教导团几百人，农民自卫团五千多人，协助作战，及侦察工作。每月可以发展游击队三百到五百之多。为了在作战上行动的配合，最近把平汉线一带的四五个不同的游击队统一了起来，建立一个统一的指挥——冀西游击队总指挥部。更成立了工作团，一百十多个干部在游击区每一村落工作，组织农村抗日救国会，由农村抗日救国会组织区抗日救国会，再由区组织县抗日救国会，将在这抗日救国会的基础上建立抗日的民众的政权于敌人的后方，现在赞皇、临城、内邱等县已经组成，邢台、沙河等县正在建立中。

放 晨

晋冀边区第一游击纵队

平津失陷以后，六年来流亡在关内的东北青年又失掉了第二故乡，他们无钱逃难，也无家可归，所有的只是誓死不作奴隶的决心，因此，当二十九军退出平津后，他们一部分跳出城墙，在故都的近郊，和日本强盗展开了游击战争；另一部分则典衣当箧，凑集到少数路费，绕道烟台转入内省，分路的寻觅为保卫祖国而抗战的工作。过济南时大家曾一度会聚，由于彼此交换消息的结果，知道马占山将军成立挺进军，准备由绥东察北直取热河，因此多数英勇的同志，愿意追随马将军，到最前线去，准备作一个最先“打回老家去”的战士。这样成群结队的东北青年跑到了山西，准备经过大同到挺进军去。

可是，待他们到达太原，惊人的消息，刺痛了每个人的耳鼓。平绥线的战争逆转得非常迅速，天镇、阳高、大同等重镇，相继沦亡，雁门关、平型关的血战，随即展开。我们准备穿过大同伸入察北的计划，完全失败，和挺进军的联络也完全断绝，几乎陷于走头无路的境地。所幸民族革命战争战地总动员委员会在并成立，经过东北救亡总会的介绍，我们一百多同学和武装同志得加入该会主办的游击干部训练班受训。在受训的期间，太原是整日在敌机的狂炸下。同时，因为平汉线的军事失利，晋东的战事逆转，太原已在准备守城的工事，军政机关先后迁到晋南，警察每天催促住户早日退至安全地带。

正当我们彷徨无主的时候，过去曾任东北军师长的张廷枢先生和张立衡先生（我们现在的正副司令），他们抱着最大决心和热诚，准备跑到民族革命战争的最前线去与日寇拼命。他们曾运用私人关系，和第 × 战区的最高当局商洽，希冀他们能够在物质上及精神上给我们以与敌人作战的方便和帮助，然终因未缴当局之信任与谅解不获完成此种愿望。直到敌人逼进太原，我们每个不愿做亡国奴的热血青年同志均深深地陷入“报国有心请缨无门”的苦闷中，正准备不顾一切，自动跑上战场和日寇拼个“你死我活”的时候（十一月一日），幸喜得到了十八集团军的同情和援助——发表一个冀晋边区第一游击纵队的名义，并指定我们一个活动的地区，令我们开赴晋东线的右翼，娘子关的南部，并发给我们一部小电台，以资联络，可是武器他们是无能为力的。他们指示我们到前线去就有办法，可以解除敌人的武装，这样我们一百多人，徒着手在十一月二日的深夜十时（白天行动怕空袭），便从太原步行出发了。

在徒手行军的期间，我们随时随地作些宣传工作，那时从晋东前线退下的散兵，遍地皆是，因政治工作的不够，他们是多处奸淫抢掠。拿着国家发给的武器，不去和敌人拼命，反而用来欺侮自家的百姓，这是多么叫人悲痛的事！我们一面说服退下来的武装同志，一面安抚受扰害的百姓，经过七八天的奔波，我们渐渐接近了火线地区。果然，在前线上，我们的武器问题获得了比较美满的解决，那些弃甲曳兵而逃的人们走光了，到处丢下很好的步枪手榴弹之类的无上至宝，我们每个人都充分的武装起来。这样我们便在和顺，辽县一带展开了游击战争，以及宣传、组织、武装民众等救亡工作。最近且深入敌人后方，在河北邢台西部，建立起一个战地的抗日政权。

我们从太原一起出发的干部，大多数是学生，最多的是东北大学和东北中学的同学，还有一部分是平津其他各大学的东北同学，内中还有三分之一是过去受过军事教育充任过下级军官的武装同志，他们多半是东北讲武堂毕业的。因此这支队伍在形式上看来，是一个完全东北人民的抗日的武装集团。

经过数月来苦斗的结果，由于政治工作合理的开展，群众的基础逐渐的巩固与扩大，地方工作也迅速的开展起来，我们队伍的实力也一天天的增加，新吸收的战士，多半是各军退却时落伍的小部队，他们的抗敌热情都很高，只是在政治认识上稍嫌不够，对于游击战运用的经验没有，在我们诚恳的说服和推动之下，他们都坚决表示，愿意和我们合作。手携手地冲到敌人后方，执行游击战争以扰乱和破坏敌人的阵容，像这样的新战士总计约一千四五百人，编成三个支队，他们都有全副的武装，算是我们的基本队伍的一部分。此外我们在辽县，黎城，平顺和河北省的邢台等地又建立起各县的农民自卫队数千人，他们的任务是后方勤务——如维持地方治安，侦探敌情，封锁消息，铲除汉奸……等，可惜他们缺乏精良武器，多数还使用着长矛和大刀。

我们的生活是完全平等的集体生活。从司令到伙夫，每个人都享受同样待遇——没有钱赚只有工作，有饭吃。我们给养的来源，一小部是友军的补助，一大部是由我们自己筹集。办法是：由各县战地动员委员会，实行统治，把地方食粮封锁起来，作合理分配，每个军民（汉奸除外）都可以得到他们应得的一份，同时动用地方公款，与没收汉奸财产，充作抗日的战费。

在四五个月的战争中，和敌人接触的次数很多，但还谈不到正式的打仗，主要的工作，是破坏敌人后方的交通，在平汉线曾破坏过一次铁道，和打击敌人在偏僻县份内建立的汉奸政权。我们在邢台西部浆水镇建立的邢台县政府，就是否认敌人在邢台的汉奸维持会。邢台是敌人在平汉线的兵站，也是进攻晋南的一个据点，但是因为我们的队伍散布县城的四周，少数占据县城的敌人，始终不敢出城活动。

李华村

豫北的游击战

为着保卫大武汉，为着保卫武汉的屏障大河南，第×战区在二月初曾在某地召集了大批的高等专科学校以上的学员，组成了一个政治大队，受一相当短期的训练，预备分发到河南省各县担任民运工作；可是正在这训练期间，豫北各县均相继沦陷了。这时正在受训的豫北同志，每个都燃起了忿怒之火，他们焦急的关心着故乡的危机，他们不能忍耐了，他们二十一位，陈明了缘由，请假渡河，毅然决然的走向“打回老家去”的路了。

当时，黄河北岸的秩序是非常紊乱的，我们的大部分军队都沿道清铁路线西退，成千百万的难民，弃家流离，扶老携幼的在敌人的飞机大炮轰炸下一批一批的渡河南来。他们刚渡过去，黄河铁桥就被炸毁，汜水口的浮桥，同时毁灭于敌人的手里。我们的二十一位战士，便散布到了整个的豫北，去领导着千百万不愿作亡国奴的人们，高举起鲜明的青天白日旗帜，去为千百万受苦痛的同胞复仇，去为中华民族的生存奋斗！

二月十九日，敌人占据了修武，继而进逼到待王，李河，和我国产煤最丰富的焦作。焦作，不但产煤在中国占很大的地位，并且在抗战中，豫北及外面来的救亡积极分子也都聚集在这里，所以在焦作吃紧的时候，他们便跟随着我们的二十一位战士中的几位领导着一批民众，潜伏在焦作东边的太行山中，展开了他们的游击生活。

恰好这时，英勇的 ×× 师也渡过黄河北岸，开到修武，焦作一带。于是我们的游击战，正配合上正规军，在太行山的周围，广泛地展开了。

在过去，太行山中的大东村，曾有 ××× 军游击第四支队在那里驻扎，他们给予他们不少的抗战启示。在一月间，开封抗敌流动话剧团曾深入到太行山中的大东村，大西村，孟泉，莫石坡等许多许多村子和 ××× 军游击队配合着作了很长时间的宣传，虽然太行山中的同胞，文化水准是那么样的低，然而他们也能用很大的热情来接受给予他们的启示。游击战在太行山中已奠定了相当的基础，当然这次我们游击战士去到太行山里，太行山中的老百姓是非常欢迎的，他们都是背着一大袋窝窝头去接济我们的游击战士，竟然有五六十岁的老太婆将自己数月来积藏的鸡蛋，全数捐给我们的游击战士吃了。像这样，我们的游击战士虽然感到极端的痛苦，而精神上却受到无限的安慰。

二月二十日，在太行山中是多么伟大的日子呵！太行山中的民族革命战士们，东村的，西镇的，他们集合了当地的一百二十多个老百姓，都拿出他们平常防匪的手榴弹，三八式，机关枪，手提式，经我们的游击战士给他们编成了游击第 × 支队，和新开来的 ×× 师，迅速的取得了密切的联系，对那残无人道的敌人给以迎头痛击！

我豫北的焦作，修武，待王，李河，狮子营，我们的游击战士和 ×× 师，时时刻刻的在距敌人营地五六里地的附近潜伏着，随时随地的与敌人以出其不意的袭击，使敌人每次均受到很大的损失。附近的老百姓，蜂拥而起的组织红枪会，联庄会来保卫他们的家乡。

我们的游击战士生活的物质条件，非常困难，他们没有盐，缺乏食粮，每天只能喝两顿小米粥，但他们仍然努力地，坚苦地奋斗着。

我们的游击战士们，行动非常灵敏，他们神出鬼没于豫北每一个角落，去破坏敌人的交通，去截断敌人的给养。

在三月四日他们第一次破坏了李河到焦作的汽车路，翻毁了敌人汽车一辆。在六日夜里他们破坏了李河到焦作的铁轨。说到这里不能不提起道清铁路上的铁路工人。在豫北沦陷后，他们很积极的都参加了游击队，他们对于破坏铁路是非常拿手的，所以六日夜间那一晚上，他们十几个工人，匍匐的爬到路轨旁，不到十几分钟的时候，即完成了他们伟大的工作，他们将原来的铁轨仍放在枕木上，丝毫没有露出痕迹，恰好敌人的军用车过来了，当时我潜伏路轨附近之 × × 军，突然出击，将敌军全数歼灭。十一日又照样的破坏了李河至待王的铁轨，十二日敌军的火车才开过来，当时火车出轨，陷落在桥底下四辆。像这样，裴山公路，长白公路，均已被我破坏，以使敌人的车辆不能通行，若在公路上行走的时候，时时会有地雷爆炸的危险。

我们的游击战士曾于三月十五日协同作一次道清线全部的袭击，是十五号的深夜里，我们的游击部队爬入修武县城的时候，敌人尚在酣睡中，当时我枪刀齐下，所有的敌人全数作了刀下之鬼。更有一次驻在焦作的敌人进袭太行山的交口，我游击队与敌激战于卧龙山坡，敌人伤亡六七十余名，我游击队仅政治员陈子绍腿部受伤，队员一名阵亡。陈系焦作 × × 学校教员，在这次英勇的抗战里，他受了极荣誉的伤，他是一个积极，极前进的救亡分子，他南北的朋友非常关心他；听说伤势不重，不久即可痊愈重赴前线杀敌。

在敌人未到道清沿线的各县以前，差不多的县长都已先行逃跑了，尤以修武县的县长梁自厚，在豫北紧急时候，他便卷款潜逃了，各区的区长一个一个都没有影子了。其实敌人无论到那里，因为人数少的原因，都在城内盘踞，距城五里地的村上，都没有一个敌人的踪迹。所以我们的游击战士看到乡下需要相当管理，需要联系，他们便召集了豫北各县的地方代表，选举出了县长，选举出了区长，选举出地方的行政人员。在偏僻的小村里，太行山中建立起他们光荣的县政府。

高　辛

平津四郊的游击战争

一　化整为零的爱国心

在世界最野蛮最残暴的强盗统治下的平津，虽然迫使着成百成千的从事于救国工作的人离开平津，然而平津的救亡活动决不曾停止，相反的，当平津的市民直接的感到敌人的欺凌压迫的时候，人们的爱国心是更加速地成长了起来。

虽然在那样艰难的恶劣的环境中，他们以各种方法得到了外面出版的抗战书籍——像《论战时总动员》，《怎样争取持久战的胜利》，以及各种抗战的理论书籍，各种游击战的书籍，更组织着流通图书馆，把这些书籍介绍给平津的市民，以坚定每个人持久抗战必胜的信心，以加强抗敌斗争的力量。

外面出的杂志他们也能收到，更用油翻印，传递着看。中央社的广播，他们收听着，记录着，印刷着，有组织有计划地在平津传动着，在平津市民热烈欢迎之下，常常有人出几角以至几元买一张油印的新闻看。

在天津出版的抗战杂志有三种:《大华周刊》,《时代周刊》,《铁蹄下的华北》。这种杂志在平津自然不可能铅印，所以完全是油印的。《铁蹄下的华北》是通讯的性质,《大华周刊》,《时代周刊》都是抗战理论和实践的指导刊物。

在天津的租界里的电影院一样地放映着国旗，党旗，以及总理遗像和蒋委员长的像，每到放映蒋委员长像的时候，观众的掌声总是不断的响着。常常地在黑漆的电影院里，会看到同蝴蝶一样地飞起许许多多的白纸片。纸片上写着“打倒日本帝国主义”,“打倒日本军阀”,“拥护政府抗战到底”，“拥护蒋委员长领导抗战”……

在北平，在幽静的小巷里，常常地也会看到，白粉笔在黑墙上写着:“打倒日本帝国主义”,“参加游击战反对日寇的侵略”。

发展游击战，参加游击战，在平津用各种方法在推动着。最广泛开展的是援助游击队的工作，援助游击队的运动不但开展的广泛，而且当衣服，当被子捐助游击队的是常有的事。在天津曾有一位近七十的老年人，竟当了他所有的皮衣服，捐助了游击队三百多元。

二　最初发动的游击战

最初所发动的游击战，有北平的东北青年学生，不甘作亡国奴隶，赤手空拳，爬出城外去，拾到了几支二十九军抛下来的枪，并在北平四郊号召起了一部分民众，组织了游击队，从二三十人增至二三百、二三千人，又从敌军的手里抢夺来了不少的武器，人数已增到近万人，其中有一部是学生，也有散乱的士兵，保安队，以及土匪，农民等。其中有一千多的学生，他们的政治认识是清楚的，意志坚强，切实训练游击队的群众，所以能使游击战不断的发展增强。他们曾劫过北平城外的第一监狱，放出五百多犯人，二百五十人参加了他们的游击队，还得了四十多支步枪，几架轻机关枪。他们分布在北平的四郊，抢夺敌人的汽车军火，毁坏敌人的交通，只要三四个人，一架机关枪，便能进行游击战，常常把他们满载军火的汽车烧毁。

在妙峰山，有 ×× 所领导的游击队，因经过敌人五六次的围剿，虽略有损失，一部分动摇的分子被淘汰了。但这却是少数，大多数的分子都更坚强了起来，现在在北平四郊还有 ××× 人，都是武装齐全的，他们在最艰难的境遇中苦斗着。

除了北平四郊外，冀东的南部及北部两部还有许多武装农民的力量，南部有四千多人，枪械都全，北部有将近五千人，枪械较少，但在有计划的组织下，已把南部的枪补充北部的不足，使两方的力量都得平均发动，来扰乱敌人的后方。

天津四周，随着保安队的抗战，集合起许多退散下来的武装保安队，再加上一部分武装的农民，组织了游击队，在天津南部南王庄义教学校，曾有一部分受过训练的农民，有三四个曾赤手夺到敌人的一汽车面粉，他们把这面粉分发给四邻的农民，并告诉他们这面粉是从敌人的手中夺来的，更增加了民众不少的勇气，号召起了近 × 的农民，组织了游击队，继续夺取了敌人的枪械，目前的力量已经不少了。

三　血肉的反抗

平津汉奸遇刺，各地的报纸都曾登载过。英勇的爱国青年袭击敌人，在平津，也是常有的事。在北平有几次日兵在僻静的幽巷里，被炸弹炸死炸伤。在天津的北门营和西门营也常有三五个农民样的人，携带着手枪和手榴弹把在北门营和西门营守卫着的敌兵击毙；等到敌人用大批的队伍镇压的时候，我们的机敏的战士，却早已无影无迹了。

平津四郊时常的发生游击战，而近来在门头沟更曾给敌人以重大打击。门头沟不但是在马鞍山、香山、妙峰山之间，更临着永定河，在两面都是泥沟的路上，敌人的载重汽车是必经之路。有一次探听好了敌人将有大批的军需和敌兵往这条道路通过。于是找到十几辆牛车停在这条路上；车上装满煤油，煤油上面覆盖着干草。当满载着敌兵和军需的汽车经过的时候，点起来了牛车上的煤油，煤油和干草燃烧了起来，牛惊慌的乱跑；敌人的汽车倒的倒，着火的着火，同时四面响起了枪声，在这火牛阵下歼灭了近千的敌兵。

伪组织成立以后，为了使平津能比较的安定，所以在平津附近的县城霸县、文安、任邱、河间、高阳、房山、蠡县放了伪县长；然而所放去的县长当到达所当到的县城，就被当地的农民杀害了。其中最值得叙说的是伪房山县县长被杀害的事件。在这些县城中房山距离北平最近，当房山的人民在旧县长逃跑之后，听到伪组织将另委伪县长，人民非常愤恨。当时负维持房山治安的公安局长，却主张欢迎伪县长。当伪县长到任那天，他叫全家人都换上新衣服欢迎伪县长和同伪县长一同来的日本顾问，并且以最精美的菜肴款待这两位上司。正当喝酒吃饭的时候，在饭厅预先放置的地雷爆炸了，伪县长和日本顾问当时被炸毙，公安局长的全家也同时做了悲惨的壮烈的牺牲。

类似这样可歌可泣的事件，自然决不止房山一县有。

平津虽然陷落在敌人的手里，然而除了极少数的昏庸的汉奸在表面上演着傀儡戏之外，敌人征服不了一个中国人。

平津以及四郊的民众都在坚苦的奋斗着战斗着，以期重见到青天白日满地红，中华民族的儿女都有一样的心，敌人虽然暂时的占据了我们的国土，然而民众和日本帝国主义的斗争是不曾停止的。

北　鸥

附录：华北游击战士的宝贵经验

——国民党冀察绥平津党务指导专员办事处第八路军第一二九师，军委会河北民军总指挥部及冀西民训处联席会议

时间：民国二十七年 × 月 × 日

地点：山西 × 县 ×× 村

出席者：刘宗镇　宋任穷　康金钟　秦武山　徐向前　宁桂荣　孙文淑　张浩　孙树德　杜庚寅　杨秀林　李健吾　温应楷　史紫千

主席：杨秀林

记录：刘宗镇　史紫千

主席报告：

今天的会议可说是各党派紧密合作，与巩固统一战

线的更具体的表现。在前些时我们举行一次座谈会，有国民党人，第八路一二九师，军委河北民运总指挥部，冀西民训处，以及地方人士参加，因为是初次的座谈，在具体的问题上还没有很好的讨论与研究，当时张政委发表以有各派各系的人，无论在军事行政以及民众组织各方面都应互相帮助，相互发展，以求统一阵线的巩固与扩大。我们相信从此次交换意见后连日座谈无论在精神上，和实际问题上，都有了进一步的了解，所以有此次会议的产生。现在一二九师的部队在山西和河北的几个县城里，与日军进行抗战，而国民党康特派员又在冀西负有党务军事和行政的巡视任务，将来和一二九师彼此联系的地方很多，所以我们要在今天的联席会议上商讨些具体合作的问题，但此次联席会议并不是任何一方面的发起，而是各方的一致的要求，现在我们要商讨的具体问题如下：

（一）国共两党对自己党员教育的问题

（二）具体问题

（1）建立地方政权问题

（2）合理负担问题

（3）群众工作问题

A 武装民众问题

B 红枪会问题

（4）武装行动配合问题

（5）除奸问题

讨论:（一）对自己党员教育问题

徐向前同志：目前抗战须求统一战线的巩固与扩大，国共为中国两大政党，非确实合作，绝无抗战胜利的把握，但以过去十年国内斗争的关系所形成的成见，还不能一时消灭。今后的长期合作，必须两党负责者各自教育其党员，使下层工作人员明了此次国共合作并不是表面的，而是所有工作的各方面的实际合作，必须如此，抗战才有胜利把握。

康金钟同志：方才徐师长的主张非常切实，本来国共合作已不成问题，此在双方上级领袖早有真诚表示，即按实际情形诸如辽县一二九师各同志都热忱于抗战统一战线，拥护蒋委员长，拥护实现三民主义，这和国民党人所主张的完全一致；所谓一个主张，一个力量，一个领袖，一个行动，这是非常对的，今后我们只要在具体的行动上，有合作的办法，我想一切都不成问题。

张浩同志：现在我们应从大处了解，此次国共合作是必要的，中国没有国共的合作就不能统一，不能统一就不能抗日，现在的合作不能确实，就不能有抗战胜利的把握，将来不能长期合作就不能实现民主共和国，此种意义早经孙中山先生发挥与主张，今后必须我们对国共的长期合作有基本信念，并使大家了解国共两党的主张，已和从前完全转变，转到共同的抗日的一条战线上，我们现在不应模糊视线，不应因小事而误大体，我们相信国共两党的最高领袖便是诚恳团结与互相谅解的，今后必须双方各向自己党员解释，使明了两党真相才不至有互相猜忌的事件发生。

八路军是国防军队的一部分，八路军所在或收复地区，国民党都可去组织工作。

国共两党只有部分的转变还不够，必须开诚合作，今后只有在一条路线，即民族独立，民主自由，民生幸福的三民主义路线，一个力量即都是抗日力量，更要有统一的步骤之下一致拥护蒋委员长向一个共同的抗日的目标努力。

国共两党不是对立的，而是兄弟党，现在我们在前线的同志能真诚合作，一定可以影响到后方以及各个同志，我们要晓得国共合作是神圣的事业，对于这个神圣事业的完成，是要我们双方同志多负责任，就是热心于救亡图存复兴民族的每个国民都负有促成团结的责任。

刘宗镇同志：我站在第三者的立场来说，只要大家以国家民族利益为前提，一切隔阂自可泯除，过去十年的斗争，我以为双方都应负责。国民党自北伐成功后，滥收党员，怕政权旁落，尽量屏绝其他同志，这是无可讳言的事实。至共党方面过去实行土地政策，阶级斗争，也有点不合适，现在只要按中山先生三民主义去推行一切，彼此如兄弟一般的推诚相见，民族前途一定是可以乐观的。

宋任穷同志：过去一切在今天会上无检讨之必要，我们只要注意今后的合作，如何具体表现。我们应警告大家应深刻认识，无国共合作，就不统一，就不能取得抗战的最后胜利，这个问题不但是国共党人和一般国人所应了解，就是此次美国参赞来前线考察对国共合作的前途，也表示非常关怀的。我们知道在各处的地方工作，至今仍有不少的摩擦，这虽然是局部的个别的，但对于抗战的前途，是有妨碍；因此在工作上不应有什么摩擦，我们要晓得今后国共两党无论谁要控制谁，都为绝对不可能，只有共同负责互相帮助，必须走向真诚合作的大路，前途才有希望。

徐向前同志：从前有第一次的国共合作，才有一九二七年大革命的胜利，国共的分家才有十年国内斗争的惨痛教训，使中国陷于这样悲惨的境地。现在我们要巩固并扩大统一战线，必需两党同志各自教训与警惕自己，因为我们的胜利愈进展，敌人和汉奸的进攻挑拨也愈毒辣，为使不重蹈覆辙，今后必须互相帮助工作，推动工作，检讨工作取诚恳友谊善意的批评，绝不可因互相猜忌而起离心分裂作用。至关于国共两党合作的整个行动纲领，须要最高级领导机关规定，我们不能决定这个问题，但就一二九师说他是国防军是国民革命军的一个组织部分，同时他历来就是共产党领导的军队。现在我们只有负责教育所有一二九师的每个同志，使了解国共合作的真缔，国民党员我们也希望进行和我们同样的教育工作。

康金钟同志：方才所说系个人一点意见，本人系一视察员专负对外活动使命，恐怕不能有很多贡献，但来此后听诸位谈到统一战线问题，非常感到兴趣，至于教育党员一层，更是非常宝贵的问题，我回去可将此次开会结果，转呈中央请参考作成自我教育纲领以求普遍，我想这一定是大家愿意的。

杨秀林同志：现在我们对讨论的问题，只是从共同认识做共同工作，因为这是目前工作环境所要求的，至于康同志主张将问题放大，我以为应就我们工作范围区域之内先作一个合作的基础，免得多费时日和流于大而难成之弊。

张浩同志：应一边从目前环境需要做起一边把前线实际合作情形呈报双方上级，求得由小及大的功效。

结论：

一、过去一切不必检讨，只注意今后的合作。

二、过去的教训是合作则胜利，分裂则失败，所以今后切实合作。

三、各党应从大处着眼，各自教育自己党员，使在一个路线，一个力量，一个步骤，一个目标之下努力。

四、现在上层已合作，下层亦应去掉摩擦切实合作。

五、应从前线加强合作力量，以影响后方。

六、在工作范围内进行具体合作，并呈请中央要求普遍做起。

七、要切实完成神圣国共合作事业，须国共两党加紧对自己的党员的教育。

讨论:（二）具体问题

（1）建立地方政权问题

张浩同志：自开战以来的几个月中，敌人只占领了我们的几个铁路干线和几个重要城市，可是河北和察哈尔到处的县长在敌人未到之前早已逃跑，这是一个大的耻辱。敌人在过去常利用既成事实，对国际惑乱视听，我们如果在各地建立地方政权，可以粉碎敌人的阴谋惯技，和打击汉奸，这是对于国际和国内的一个很大的政治问题。

其次用实力控制政权是不好的，我们希望在抗战过程中更进一步的做到行政系统的完整，以打破封建的观念。我们根据以上的原则，主张建立地方政权，以免陷于无政府的状态，更有力的打击汉奸政权；但这个政权，应该是中华民国中央政府领导下，统一的民主的政权。政权必须如此，人民才有依靠，才有信心。我们八路军是国防军，八路军所到之处，即为中央政权所到之处，我们为了使民众在新建立的河北各县：第一，在无政府地区军队到达后，可以临时组织政权机关，但应自民训处或其他适当机关呈请省政府或中央加委，无论任何军队对政府只能处于拥护与协助地位而不能干涉，更不能控制行政，这是我们坚决主张的，过去在特殊情况下，各方所委的县长都应当是临时的，都应当改造的。

徐向前同志：我对张浩同志的主张很同意不过，河北有些地方因军人干政，竟有县而委任两个县长使民众无所适从，这是非常不好的。在政府的组织上，我以为地方人士熟悉地方情形，应尽可能的使他们当选，而在集中人才的原则上说，应当容纳各党各派参加，以便协力推动工作。

康金钟同志：我对徐师长的意见完全同意。

宋任穷同志：县政府以外还有区乡问题也应采取以上方式，此外区座谈会及村民代表大会，或村民大会的举行，也非常必要，一切地方政权只有经过民众的选举，才会认为是自己的政府，这样的政府才能与日寇汉奸的维持会对抗，领导抗日斗争。

杨秀林同志：河北行政机关已多数破坏，我们为了对抗汉奸的政权应当很快的把当地政权建立起来，据我们所知道的如元氏、赞皇、临城、内邱、邢台等处所建立新的政权，其方式完全不同，民主也没有完全做到。如赞皇城内根本无敌人也无政府，那里的县长为我们与八路军合委，今已呈报；临城、内邱县长为民众选出但实际系由各村长推选，尚不完全民主（临城为民训处人）；邢台县长则由八路军与民训处合委。那里其他关系还很多，如冀察游击队其他各军也都须协同进行一切。

结论：

一、敌人占领区域我们为了领导民众抗战到底，对抗汉奸政权及使国际知道我们的政权存在，否认日本宣传的既成事实，应建立地方政权。

二、地方政权应该是统一的民主的，只有由民众选举，才能真正对抗汉奸政权。

三、军队只可帮助与维持政府，不能干涉地方行政。

四、政府组织应尽可能的使地方人当选。

五、应请省政府或中央政府加委以维持行政系统的统一。

杨秀林同志：先完成县委会，再由县委会进行民选组织县政府。今后建立政权的原则如下：

一、除真正的民选政权以外其余都是临时的。

二、临时政府须维持统一阵线让各方面人参加。

三、由临时县政权进行民主县政权。

（2）合理负担问题

康金钟同志：在抗战中实行合理负担与改善人民生活，我非常同意，这和中央提出的有钱出钱与有力出力意义完全相同，但有些豪绅仍是有钱不出，在此抗战期中实应使他们合理负担起来。

张浩同志：赞成内容，不赞成“合理负担”，名字仍应本中央“有钱出钱，有力出力”的口号执行，比较明显确当。

孙文淑同志：此种工作应通盘筹划，由县政府或动委会统一起来执行，各军不得自行筹摊，以免扰民。

结论：

一、为加强战斗力量与改善人民生活应实行合理负担。

二、应以中央的“有钱出钱，有力出力”的口号来号召，不必用“合理负担”的口号。

三、由统一的机关执行。

（以上原则应向有关系各方面建议执行。）

（3）群众工作问题

A 武装民众问题

康金钟同志：关于群众工作，我们现在除掉讨论的技术问题，特别要注意各方面工作调整的问题，调整工作设立县动委会，使大家参加；至于红枪会工作多关系技术方面，应参考一二九师所出小册子做去；此外武装人民问题应由动委会协议执行，如有个人或团体愿参加抗日集团者，愿到那方面，就到那方面，如此即可免去摩擦增加效率。

徐向前同志：一般的问题关于群众工作的统一，我认为非常必要，只有这样才能把各种抗战力量团结一体，人民武装问题，过去抗战失败的主要原因完全是由于人民武装的不够，所以今后政府不只要武装人民而是应使人民为抵抗暴日自动的武装起来，不过地方武装应绝对归地方所有，只有这样才能熟习当地的各种情形，才易与当地人民结合一体，才能巩固与发展，不应成为私人或某一团体的工具。至于组织及领导问题，必须有统一机关。正规军只能指挥人民武装配合作战，但不能干涉其内部组织和行政，正规军所到之处，地方武装应在正规军的统一计划下服从正规军最高机关的军事指挥，总之一切武装都应归为国家民族的力量，所以必须有这样的观点，一切摩擦误会，才可免除。

宋任穷同志：我们现在的抗日应该是军队政府人民一致才能取得最后胜利，所以群众工作非常重要。第一，统一是最主要的问题，我在兆源时曾因组织游击队发生过摩擦，最后我们将游击队送给他才解决了。我以为民众组织，应共同组织共同领导，由各党各派组织工作领导机关共同协商进行。第二，应有抗日救国会组织，把工农学生商人教职员都一齐组织起来，不让有一个人站在救亡团体以外，各界应有抗日救国会的组织，如农民救国会，学生抗日救国会等等。在组织时应自愿的而不应强迫组织，我看见有好些地方的民众团体因强迫组织，只有会名并无工作。各党派更不应控制民众运动和组织，因为控制，民众就不肯起来，今后我们应加紧政治动员才能使多数群众参加组织。第三，游击队自卫队组织亦应是自愿的，应加紧其政治教育，知道为什么要武装起来。第四，培养本地干部非常重要，因为他们地方情形了解，地形熟习，本地有信仰，有保卫家乡的观念，可以坚决抗敌并起当地领导的作用。

B 红枪会问题

秦武山同志：红枪会的性质在过去本为农民地主联合组织的自卫团体，如果我们能把他抓紧了，可能使他转变到抗日方面来，固然他们的领袖都很迷信，不过只要我们同他开诚协商，是可以把他争取的，此外关于组织统一也非常必要。

宁桂荣同志：关于红枪会的问题，我们应分三个步骤来进行：第一步应先参加红枪会工作，利用喝将以增强他们的信心；第二步逐渐改正他们的旧观念；第三步把他们领到自己的路上来。

孙树德同志：红枪会主张忠孝，应顺其忠孝两字，加以解释，借以增强其自卫力。

李健吾同志：红枪会组织非常广大，但意识不正确，这完全由于过去政治领导的不良。我们第一步应利用其旧习惯，改换其旧意识，并不时将日本暴行灌输给他们，于不知不觉间，慢慢使他们转变过来；第二步应先把他们首领的意识转变过来，等到他们的迷信没有了，勇气也就随之消去了，到那时我们再来正式实行第三步计划，加强他们的教育工作。

温应楷同志：我主张把红枪会的进步分子，有机会使他们出外参观，并参加其他组织学习。

张浩同志：关于群众问题的原则，我以为第一是意志统一，一切必须以抗日为前提；第二是组织统一，有统一的组织才能有统一的行动；第三是行动统一，我们对内或自己开会，尽可以争辩讨论，但对外必须一致，我们以后应把所有的都成为民族的力量，绝不应成为个人的力量。关于红枪会可以说是一个严重的社会问题，在迷信的方面我们固然不可以和他们对面冲突，但我所培养的是进步的势力，而不是封建落后的势力，所以愚民政策，在今后是绝对要不得的。红枪会是以血肉拼子弹，这完全和游击战争的原则相反，这是最愚笨可怜的，不过我们立刻来矫正或反对他绝不能成功，必须从各方面进行教育，尤其是抗日的前提更不可忽略，至于他们所谓的忠孝完全是真命天子的观念，这和汉奸的理论完全相同。今后我们对红枪会应注意的事情，第一为积极抗日，第二为废除苛杂，第三为解决散兵。以外对于他们的领袖应以民族英雄来鼓励，并应注意其青年人使逐渐成为军事组织，其余不进步的老年人使演变为宗教团体，因为迷信的观念绝对不是一时能够消灭的，所最重要的就是我们希望各方面领导群众的人，绝不要再创立红枪会以增强人民的迷信势力，这是值得我们注意的。

结论：

（一）群众工作的原则

一、统一意志（以抗日为前提）。

二、统一组织（一个地方只应有一个组织，如山西的牺盟，河北的动员委员会，为领导团体，抗日救国会为民众团体）。

三、统一领导（应在同一目标之下由各党派协同领导）。

四、统一行动（检讨自己弱点加强对敌力量）。

（二）红枪会问题

一、把红枪会积极引导到实际抗日战线上来以和日寇对抗。

二、培养进步分子加入军事组织，不进步分子成为宗教团体。

三、不发展红枪会的组织。

四、统一领导。

五、加强政治文化教育，不从正面反对迷信。

（三）武装民众问题

一、应成为民族抗日力量，反对自私自利的观念，即把地方武装认为是自己的工具，更反对吞并地方的现象。

二、须本自愿参加的原则。

三、正规军可指挥作战，不能干涉其组织与教育。

四、培养地方干部。

（4）武装行动配合问题

徐向前同志：关于武装行动配合问题，我认为应有共同计划，共同行政，所以设立联合指挥的机关是很必要的，此种组织应为各方面正规军的代表所组织，应完全采取民主商讨的办法，必须相互推诚而不猜忌，才能使行动灵活，配合适当，至于各自保存实力的观念，更是必须打破的。

宋任穷同志：我认为成立联合指挥机关互相商讨民主是有限度的，应在大元帅战区司令长官命令和意图的原则下进行，这种商讨应该是为完成上级命令的任务而进行才对，地方游击队必须与正规军配合才能发挥作战效能。

结论：

一、组织联合指挥机关（一县或数县均可）。

二、应打破保存实力的观念。

三、商讨军事计划须在不违反上级命令和意图的原则及完成军事任务下进行。

四、人民武装应和正规军配合作战。

（5）除奸问题

刘宗镇同志：关于处理汉奸的办法中央已经发表过，我认为除奸办法绝对要慎重执行，不可轻易杀人。如知识阶级的人，为个人私利而做汉奸的应枪决，有被威迫做汉奸的应原谅，有迫于生活做汉奸的应利用反奸，此外维持会的分子，我们亦应分别轻重来处理。

徐向前同志：除奸为主要的政治工作任务之一，真正的汉奸定要枪决，不能因受金钱将处罚而释放，对于一般民众广泛的教育更为必要，例如河北汉奸的组织很有基础，以后除奸工作必须建立在广大群众的基础上，才能完成任务，所谓众目昭昭使汉奸无法逃避。至于没收汉奸财产，应由当地政府执行作为行政费，游击队用费及改善人民生活之用。

李健吾同志：汉奸和毒品有密切关系，大汉奸大都是失意将官军阀，小汉奸则多因吸毒而做卖国的勾当，所以我们一方面除奸，一方面更要由政治方面厉行禁毒禁烟，本人在陵川等处看到官方名为禁烟实行公卖，这是非常令人痛心的。

张浩同志：我认为如是汉奸应根据中央法令严办，但我们绝不可把汉奸的帽子给人乱戴。这的确是个很严重的问题，同时对于汉奸的处理，应分别轻重主要或次要，不应视同一律的。

宋任穷同志：铲除汉奸应分主要与次要的。枪决汉奸须在各地广泛的开群众大会公审汉奸，这可以给群众以很好的教育。各民众团体应更设法锄奸，主要的汉奸我们绝不姑息，次要的最好还是设法争取，我认为锄奸的松懈，随意给人戴汉奸的帽子，都是很严重的错误。

宁桂荣同志：我主张设立锄奸团。

李健吾同志：过去有好些地方锄奸是犯了很严重的错误，如保府民众逃难时军队多借除奸为名，搜索难民腰包，这是如何使人痛心的事件。

结论：

一、锄奸为重要的政治任务，应分别主动或胁从，盲从，绝不可拿汉奸的帽子随意给人戴上。

二、执行中央除奸法令，应按主要与次要分别处理。

三、枪决汉奸应在群众中公审，教育群众。

四、除奸应建立在广大群众的基础上。

五、锄奸与禁毒有密切关系，故除奸应不忘禁毒。

六、没收汉奸财产应由当地政府统一办理，以一部分作抗日经费，一部分分发劳苦民众，及抗战军人家属。

七、对主要汉奸绝不姑息。

杨秀林同志：我有两个提议：一、把这次会议的记录，传达给各方面看；二、把各县建立新政权的情形设法传达给各方面。

三联经典文库第二辑简目

《游击战教程》　明凡 / 著

《游击战术纲要》　陶剑青 / 编著

《汪精卫卖国的理论与实践》　钱俊瑞 / 著

《抗战以来》　韬奋 / 著

《陕行纪实》　楚云 / 著

《随军散记》　沙汀 / 著

《被日寇囚系半载记》　王研石 / 著

《倭营历险记》　房沧浪 / 著

《活跃的新西北》　田影 / 编著

《保卫华北的游击战》　刘清扬　陈北鸥等 / 著

《徐州突围》　《徐州突围》编委会 / 编

《沦亡的平津》　长江　小方等 / 著

《淞沪火线上》　胡兰畦等 / 著

《瞻回东战场》　长江　罗平 / 著

《东线的撤退》　胡兰畦等 / 著

《抗战中的西北》　徐盈 / 著

《鲁闽风云》　徐盈等 / 著

《西线生活》　西北战地服务团集体创作

《中国解放区见闻》　［美］福尔曼著 / 朱进译

《全面抗战论》　潘汉年 / 著

《日本的间谍》　范士白自述 / 尊闻译

《日本大陆政策的真面目》　国难资料编辑社 / 编

《民众动员论》　李公朴 / 著

《中国外交史》　钱亦石 / 编著

《太平洋军事地理》　蒋震华 / 著

《世界经济地理讲话》　思慕 / 著

《列强军力论》　［德］马克斯 · 威纳尔著 / 宾符　仲持　梅益等译

《近代国际关系史》　张铁生 / 著

《太平洋现势手册》　沈志远　石啸冲 / 编著

《近代世界政治史》　钱亦石 / 著

《从战争到和平——一九四五年的世界政治》　乔木 / 著

《战后日本问题》　思慕 / 著

《最近一年间的国际动态（1946.7–1947.6)》　《东北日报》社 / 编

《论政党》　翟放 / 著

《法与宪法》　韩幽桐 / 编著

《中华民国宪法刍议》　罗家衡 / 著

《民主 · 宪法 · 人权——作之民》　费孝通 / 著

《宪法论初步》　潘念之 / 著

《对反民主的抗争》　韬奋 / 著

《农村改进的理论与实际》　江恒源 / 著

《上海产业与上海职工》(上下)　　朱邦兴　胡林阁　徐声 / 合编

《陶行知教育论文选辑》　　陶行知著 / 方与严编

《中国通货膨胀论》　　杨培新 / 著

《中国及其未完成的革命》　　H・普拉特著 / 蒋天佐译

《中国的建设问题与人的训练》　　卢作孚 / 著

《论中国特殊性及其他》　　艾思奇 / 著

《中国经济问题讲话》　　钱俊瑞　徐雪寒　王渔邨　姜君辰　骆耕漠 / 合著

《中国经济的道路》　　许涤新 / 著

《中国财政之病态及其批判》　　孙怀仁 / 著

《官僚资本论》　　许涤新 / 著

《五四运动之史的评价》　　陈端志 / 著

《中国通史简编》(上下)　　中国历史研究会　范文澜 / 主编

《论文学的工农兵方向——读〈在延安文艺座谈会上的讲话〉》　雪苇 / 著

《中国近代史(上编　第一分册)》　　武波 / 编著

《文学百题》　　傅东华 / 编

《中国史学之进化》　　周谷城 / 著

《论民族形式问题》　　胡风 / 著

《论批评》　　荃麟等 / 著

《中国史纲》(第一卷上下、第二卷上下)　　翦伯赞 / 著

《近代中国思想学说史》(1-4)　　侯外庐 / 著

《中国政治思想史》（上下）　吕振羽 / 著
《中国哲学史纲要》　向林冰 / 著
《中国政治史讲话》　钱亦石 / 著
《中国社会经济史纲》　王渔邨 / 著
《新财政学大纲》　千家驹 / 著
《太平天国革命运动论文集——金田起义百周年纪念》
华北大学历史研究室 / 编
《理性与自由——文化思想批评论文集》　胡绳 / 著
《战斗者的诗人》　黄药眠 / 著
《国语文法》　曹朴 / 著
《教育哲学》　张栗原 / 著
《妇女问题讲话》　杜君慧 / 著
《婚姻 · 子女 · 继承》　沙千里 / 著
《性教育新论》　布士克　雅各生合著 / 董秋斯译
《狱中杂感》　杜重远 / 著
《七人之狱》　沙千里 / 著
《爱迪生传》　伍况甫 / 译
《歌德自传》（上下）　歌德著 / 思慕译
《尼赫鲁自传》　［印度］尼赫鲁著 / 毕来译
《列宁传》　［苏］凯尔任采夫著 / 企程　朔望译
《罗斯福总统传》　C. Mackenzie 著 / 张尚之译
《托尔斯泰传》（1–3）　［英］阿尔麦 · 莫德著 / 徐迟译

《革命文豪高尔基》　［美］亚历山大・康恩著／韬奋编译

《鲁迅纪念特辑》　新中国文艺社／编

《回忆鲁迅先生》　萧红／著

《人民文豪鲁迅》　平心／著

《亡友鲁迅印象记》　许寿裳／著

《鲁迅思想研究》　何干之／著

《鲁迅研究》　夏征农／编

《过来的时代：鲁迅论及其他》　雪峰／著

《电影戏剧表演术》　洪深／著

《日常心理漫谈》　［美］约瑟夫・查斯特罗著／曾宝施译

《心理常识漫话》　朱智贤　杨云美／著

《读书的方法与经验》　王任叔／著

《美国黑人生活纪实》　［美］加德维尔　斯坦倍克著／董秋斯译

《初访美国》　费孝通／著

《事业与成功》　［美］马尔腾著／汪原放译

《萍踪寄语（初集）》　韬奋／著

《一生的幸福前途——〈生活周刊〉信箱选集》　生活书店／编选

《深刻的印象》　生活周刊社／编

《海外的感受》　生活书店编译所／编

ISBN 978-7-108-04601-7
9 787108 046017 >
定价：17.00元